"Quando estava começando minha carreira há nove anos, Lilian me ajudou colocando meus livros em destaque na mídia, depois me ajudou com a publicação independente do meu primeiro *New Adult*. Ela me pegou pela mão, me apresentou para editores grandes do mercado, acreditou em mim desde o começo, acompanhou meus eventos e vibrou com o meu sucesso, como se fosse dela. Lilian é uma apaixonada por livros e histórias, uma profissional que conhece demais o mercado literário e o processo de edição do início ao fim. Lilian entrega muito mais do que um trabalho executado com competência, ela entrega excelência e amor em tudo o que faz."

— Babi A. Sette, escritora best-seller, reconhecida por publicar obras young adult e pioneira em romances de época no Brasil

"**Lilian Cardoso** é uma profissional de marketing extremamente antenada, organizada e criativa, que brilha com seu primeiro livro, o qual tive a honra de ler em primeira mão. Sua obra é um manual completo, conduzindo o leitor desde a concepção da ideia para o livro até a materialização desse sonho, repleto de estratégias dignas dos grandes *best-sellers*. A expertise de Lilian é uma verdadeira fonte de inspiração, e não tenho dúvidas de que seu trabalho se tornará um recurso essencial para escritores em busca de orientação, capturando a paixão e dedicação com que ela guia tantos autores em suas jornadas literárias. De forma especial, devo ressaltar que Lilian foi fundamental para a concretização do meu próprio sonho em publicar meu livro Ressignificando Perdas, que agora é uma realidade com sucesso de vendas. ***O Livro Secreto do Escritor*** é uma oportunidade imperdível para absorver todo o conhecimento deste guia excepcional, minuciosamente elaborado por uma das mentes mais brilhantes da área."

— Rackel Accetti, gerente administrativa da Editora Alfabeto e autora do livro Ressignificando Perdas e idealizadora da página @ressignificandoperdas

"Poucas pessoas estão mais bem preparadas para auxiliar o escritor a tornar sua obra percebida do que Lilian Cardoso. Por isso, saúdo com entusiasmo a publicação de ***O Livro Secreto do Escritor***. Há mais de 10 anos somos beneficiados com o trabalho de Lilian e sua equipe, abrindo espaços incríveis para nossos livros, a maioria dos quais bastante nichados. Ao explorar essa obra, o leitor descobrirá os caminhos que precisam ser trilhados para que um livro seja adequadamente produzido e conhecido."

— Renato Fleischner,
diretor de operações na Editora Mundo Cristão

"O sucesso de um autor não é consequência apenas de uma boa história e de uma boa distribuição: depende diretamente da sua estratégia de comunicação e da consistência de todas as ações feitas para criar, consolidar e manter uma base de leitores. Depende de o autor entender que, além de um contador de histórias, ele é um empreendedor – e, como tal, deve agir para manobrar as forças do mercado a favor das suas vendas. Nesse aspecto, Lilian Cardoso é uma professora como nenhuma outra, e o conhecimento que ela entrega pode ser exatamente o que o autor independente precisa para levar sua carreira para onde deseja."

— Ricardo Almeida,
CEO do Clube de Autores

"Lilian é daquelas pessoas que chega para resolver, não tem medo de desbravar, e faz tudo isso com profissionalismo, alegria e resultado. Por isso é parceira do Grupo Edipro desde 2016. E essa eficiência com que norteia seu negócio é hoje transmitida neste livro ao futuro escritor, que terá em mãos ferramentas de ajuda real, com exercícios e dicas preciosas, para que suas ideias possam de fato ganhar o mundo."

— Maíra Lot Vieira Micales,
publisher do Grupo Edipro e autora de livros infantis

"Publicar um livro é um daqueles sonhos que pode se tornar um pesadelo, quando o autor não é bem orientado. O mercado gráfico-editorial é técnico e repleto de nuances. Não há só um único caminho para que o escritor lance sua obra. A grande pergunta é: qual o melhor caminho para você? Com ***O Livro Secreto do Escritor***, Lilian Cardoso responde essa e outras perguntas que ouço muito no meu dia a dia como profissional do meio. Indo além, a obra te leva a colocar a "mão na massa", com uma didática leve, direta e prática. Com toda certeza, é um guia para quem deseja transformar aquele rascunho em um livro físico, real e palpável."

— Graziele Cler, publicitária, especialista em indústria gráfica
e diretora comercial e de operações na Walprint

"O livro que todo autor deveria ler antes de lançar o próprio livro."

— Felipe Brandão,
diretor editorial da Editora Planeta de Livros no Brasil

O LIVRO SECRETO DO ESCRITOR

ESTE LIVRO PERTENCE A:

LILIAN CARDOSO

O LIVRO SECRETO DO ESCRITOR

2ª EDIÇÃO

O Livro Secreto do Escritor
2ª edição: Setembro 2023

Autor:
Lilian Cardoso

Preparação de texto:
Brenda Gomes, Mariana Gomes e
Silvio dos Passos Neto

Revisão:
Ana Prôa e Bárbara Parente

Colaboração:
Carolina Tomaselli e
Gabriela Kugelmeier

Capa:
Beatriz Sasse e Márcio Schalinski
(LC - Design & Editorial)

Projeto gráfico e diagramação:
Beatriz Sasse, Estefani Machado e
Felipe Pillon (LC - Design & Editorial)

Ilustrações:
Adam Veiga, Artendes,
Estefani Machado, Felipe Pillon,
e Guilherme Pires

DADOS INTERNACIONAIS DE CATALOGAÇÃO NA PUBLICAÇÃO (CIP)

Cardoso, Lilian
O livro secreto do escritor : da página em branco ao best-seller / Lilian Cardoso. — Porto Alegre : Citadel, 2023.
304 p. : il., color.

ISBN 978-65-5047-253-5

1. Livros 2. Editores e edição 3. Escritores - Livros e leitura 4. Mercado editorial I. Título

23-4642 CDD 002

Angélica Ilacqua - Bibliotecária - CRB-8/7057

Produção editorial e distribuição:

contato@citadel.com.br
www.citadel.com.br

Dedicatória

À vó Nina (in memoriam) e tia Nil;
aos meus batalhadores pais, Carlos e Izabel;
e aos amores da minha vida, Neto e Catarina.

À comunidade Escritores Admiráveis e todos do Grupo LC.

Muito obrigada,
Lilian Cardoso

Prefácio

POR OMAR DE SOUZA

Consultor e publisher com mais de 20 anos de experiência no mercado nacional e internacional. Reconhecido pelo trabalho com passagens pelo marketing, editorial e direção de diversas casas editoriais no Brasil, como Ediouro, Record, Thomas Nelson Brasil e HarperCollins Brasil

Gosto de comparar a decisão de começar a leitura de um livro com a iniciativa de fazer uma caminhada. A partir do ponto de vista de um leitor, penso que é uma analogia interessante, já que ambas envolvem muitos e diferentes fatores. Optar por um gênero literário, por exemplo, é equivalente a escolher a trilha que se deseja tomar: sigo pelo jardim florido de um romance, pela trilha rústica de uma aventura ou pelo terreno desconhecido de um mistério ou suspense? Vou de uma só vez até a última página ou dou algumas paradinhas de vez em quando para descansar durante o itinerário? Até mesmo prosseguir na leitura, dependendo do entusiasmo do caminhante em relação à vereda escolhida, pode se tornar um dilema: fico nos primeiros metros ou me esforço para chegar até o fim do trajeto e ver como aquela história termina?

É claro que essa caminhada é apaixonante, mas ela não é a única. Há outra que a precede, igualmente importante: a daqueles que criam e preparam o caminho, também conhecidos como "autores". São eles que plantam as flores ou os espinhos da estrada, indicam os trechos de solo firme ou de areia movediça, acendem o sol ou derramam a chuva, ordenam carícias ou sevícias e, principalmente, montam o mosaico de personagens que cumprirão a tarefa de nos ciceronear ao longo da trilha.

Há muitas pessoas por aí inventando trilhas maravilhosas, cheias de retas e curvas emocionantes para propor aos leitores-caminhantes, mas que ainda se sentem incapazes ou despreparadas para colocar essas ideias no papel de maneira organizada. Não lhes falta talento, imaginação ou criatividade — apenas alguém que lhes ensine a desenhar o mapa e revelar seu brilho. E isso Lilian Cardoso sabe fazer como poucos.

No momento em que escrevo este texto, a nossa amizade está quase atingindo a maioridade. Foi no finzinho da década de 2000 que, durante a leitura da seção de cultura de uma revista, chamou-me a atenção a originalidade de um tijolinho, que é como os jornalistas chamavam aqueles resumos de livros, peças, exposições ou filmes publicados pela mídia especializada. O texto, referindo-se a um livro de uma concorrente, destacava-se dos demais não somente pela escrita fluente e objetiva, mas (e principalmente) pela precisão na escolha do *gancho* — outro termo usado por jornalistas (embora emprestado dos escritores) para se referir àquilo com maior potencial para prender o interesse do leitor.

Na época, eu trabalhava como editor para a recém-criada Garimpo Editorial, cujo foco de então era a publicação de obras cristãs, e o tal tijolinho curiosamente se referia a um livro sobre... o diabo! Apesar da contradição, a mensagem me pareceu tão sagaz que procurei descobrir quem era a pessoa responsável. Para encurtar a história, alguns meses depois, a Garimpo se tornaria uma das primeiras clientes da Lilian Comunica, primeira designação da LC, uma das líderes na divulgação literária no Brasil.

Encontrar espaço para a divulgação literária dentro de um mercado tão competitivo sempre foi uma tarefa árdua — passei por essa experiência durante os cinco anos em que fui responsável pela área de imprensa da Editora Record, na segunda metade dos anos 1990. Mas, quando se tratava de livros cristãos, principalmente os evangélicos, o desafio mudava de classificação: passava a ser colossal, beirando o impossível. A não ser por duas ou três revistas dirigidas especificamente para esse público, quase nenhum veículo de comunicação estava interessado em abrir espaço para títulos religiosos.

Ainda assim, Lilian topou entrar no jogo, e o resultado foi surpreendente, conquistando inserções até em grandes mídias e nos então ambicionados (hoje, infelizmente, quase extintos) suplementos literários. Por isso, quando assumi a direção da Thomas Nelson Brasil, em 2010, a LC era a escolha natural para a comunicação e divulgação. Foram anos de parceria e uma visibilidade que gradativamente migrava para a internet — movimento que Lilian logo percebeu e ao qual se ajustou organicamente. Foi essa visão, aliás, que transformou a agência em um autêntico *bureau* de soluções editoriais: desenvolvimento de projetos literários, produção, formação de escritores, autopublicação, enfim, tudo o que um escritor estreante ou em formação precisa para criar as trilhas que os leitores-caminhantes estão ansiosos por percorrer.

Se existe alguém que pode ensinar esses autores potenciais a desenharem os mapas que trazem na imaginação, essa pessoa é a Lilian. É neles que ela acredita e aposta. E este livro, resultado dessa experiência ampla e singular que ela acumulou em todo esse tempo trabalhando para diversas casas editoriais brasileiras de prestígio, reúne as melhores orientações, seja para quem ainda não colocou aquela grande ideia no papel, seja para quem já tem um ou mais livros prontos e sonha em vê-los disponibilizados para o público.

Lembra-se do início deste texto, quando escrevi que ler é como caminhar? Pois bem, aceite o convite de Lilian Cardoso e percorra com ela essa jornada que começa na identificação de sua escrita e sua voz, passa pela construção de sua obra e culmina na publicação e distribuição — o destino de quem segue a trilha dos escritores admiráveis.

Nota dos editores

Tenho muito orgulho de ser o responsável pela publicação do primeiro livro da Lilian Cardoso. Dedicação, persistência, alegria e seriedade são as principais características desta grande profissional. Desde o início de nosso trabalho juntos, eu sabia que ela era diferenciada.

Agora, este seu livro mostra o quanto ela pode fazer. Novos autores, novas perspectivas, novas ideias. Para o mercado literário e para a leitura em sua totalidade, esse pode ser um divisor de águas. Mais possibilidade de profissionalização de autores que, antes deste projeto, nem saberiam por onde começar. A autora se torna uma facilitadora de acesso. Não tenho dúvidas que o trabalho aqui apresentado será para você, leitor, um grande ensinamento de como o universo dos livros funciona. Espero que aproveite a leitura, mas mais do que isso, que coloque em prática.

Marcial Conte Jr.
Editor Executivo do Grupo Editorial Citadel

Alguém que se antecipa na adoção ou defesa de novas ideias; que primeiro abre ou descobre regiões desconhecidas; que prepara os resultados futuros. Esses são os significados de pioneiro no dicionário. Costumamos a nos apegar ao significa mais comum, de ser primeiro em algo, mas quero destacar aqui aquele último: alguém que prepara os resultados futuros.

Neste livro, a Lilian faz isso. Independentemente de ser a primeira ou não, esse projeto, com certeza, planta o amanhã. Resultados futuros que serão colhidos por todo o nosso mercado. Tive a oportunidade de conhecer alguns dos alunos da autora e percebi ali novos autores, novos revisores, novos editores, enfim, possíveis novos profissionais de qualquer área editorial. Isso é fazer hoje algo que terá um resultado amanhã. Todos nós estamos aqui, acima de tudo, para promover a leitura; profissionalizar cada vez mais o nosso mercado é, sem dúvida, um dos caminhos. Espero que você, leitor, enxergue essa possibilidade e leve essa mensagem adiante, o quanto e como puder.

André Fonseca
Editor sênior do Grupo Editorial Citadel

Amigo escritor, em suma, este livro explora os rincões dos sonhos: a dança entre viver e sonhar!

Na encruzilhada entre forjar a realidade dos nossos sonhos e permitir que os sonhos forjem nossa realidade, emerge uma indagação que ressoa no âmago de nossa busca por propósito. Aqueles que já se aventuraram a dar vida a um livro compreendem a imensidão do desafio que reside em traduzir pensamentos em palavras e, posteriormente, em compartilhar essas palavras com o mundo. Todavia, há uma trilha, pavimentada com letras resplandecentes, que se torna menos árdua e mais inspiradora quando percorrida lado a lado com Lilian Cardoso.

Dentro das páginas entrelaçadas de ***O Livro Secreto do Escritor***, Lilian nos convida a uma jornada de autoanálise profunda, um mergulho no autoconhecimento, no qual cada frase traçada se converte em um passo em direção à realização de nossos anseios mais profundos. Com uma destreza natural rara, ela irradia luz sobre os recônditos sombrios que cada escritor eventualmente atravessa, os labirintos da solidão, os vales da desmotivação e os picos do temor à crítica. Tive o privilégio de observá-la em ação. Sua voz tranquilizadora sussurra suavemente: "Persiste, pois a luminosidade aguarda além do túnel".

E que luminosidade deslumbrante! Cada página resplandece com discernimentos lapidados ao longo de mais de uma década de assessoria a autores *best-sellers* e renomadas casas editoriais. Suas orientações preciosas se enraízam em experiências concretas e histórias de triunfo. O produto dessa maestria é mais que um simples livro; é um compêndio para ser lido, relido e consultado, uma bússola a guiar escritores em sua jornada.

Contudo, a mestria de Lilian transcende a esfera motivacional. Com sinceridade cativante, ela compartilha as estratégias mais sagazes e ferramentas mais eficazes para nos transformar em escritores verdadeiramente notáveis. Sim, NÓS! Eu, que há quase cinco décadas percorro os domínios da produção, edição e publicação de narrativas no universo editorial e do entretenimento, reconheço que este livro preenche uma lacuna que há muito clamava por atenção.

Se tua busca é por orientação experiente e pragmática, visando esculpir uma obra-prima, encontraste tua guia. Deixa-te conduzir por essa alma intrépida, que estende a mão com determinação e te convida a compartilhar a jornada.

Ao concluíres essa leitura, garanto essencial e enriquecedora, compreenderás que não carregarás apenas técnicas para te conduzir à publicação. Terás obtido algo maior: uma amiga. Eu, por exemplo, desde que a encontrei, me tornei um ardoroso admirador que não abandona estas lições inspiradoras por nada deste mundo!

James McSill é uma das mais relevantes autoridades em Storytelling e um dos consultores de história (Story Consultant) mais bem-sucedidos e experientes do mundo, trabalhando sob a chancela do Departamento de Negócios Estrangeiros da Inglaterra (DIT). Reconhecido nas últimas duas décadas pelo vasto trabalho na América Latina, América do Norte e Europa, estendendo-se à Ásia e, recentemente, à África.

Alguns livros nos deixam livres
e alguns livros nos tornam livres.
Ralph Waldo Emerson

Sumário

Parte I

A fantástica fábrica dos livros

Antes de tudo isso...

"Era uma vez uma criança que vivia cercada por livros."

O meu encontro com o universo literário chegou tarde, bem diferente do que se pode imaginar. Meu pai lia muitas revistas e jornais – isso talvez explique o meu gosto pelo jornalismo – e assinava os gibis do Mauricio de Sousa. A verdade é que minha família nunca foi muito ligada aos livros. Não temos também um escritor ou alguém ligado a este mercado na família.

Por outro lado, não me faltaram estímulos na infância para aguçar minha criatividade. Sempre que possível me levavam para assistir a filmes no Cine Marabá e Comodoro, as famosas salas de cinema do antigo centro de São Paulo na década de 1990. Íamos também ao circo e à casa da vó Mariana, da vó Nina e dos meus tios. Família grande que adorava se reunir ao redor de uma farta mesa. Foi assim que aprendi a ouvir e a contar boas histórias. Morei em São Paulo até meus 10 anos. Migrei da agitada capital de shopping centers e hipermercados para Jaraguá do Sul, uma pacata cidade com padarias fechadas aos domingos – estas que até hoje não têm mortadela fininha, mas, por outro lado, têm sempre uma cuca fresquinha.

E foi só no ginásio (o equivalente aos anos finais do Ensino Fundamental de hoje) que dei início a minha paixão pelos livros. Li três vezes *A hora do amor*, de Álvaro Cardoso Gomes. Depois parti para Agatha Christie por indicação de uma amiga, e nunca mais parei de frequentar bibliotecas. Segui também a rota dos cursinhos pré-vestibulares e, apesar de ter ficado balançada pelo curso de Direito, optei pela formação em Comunicação Social, com habilitação em Jornalismo. Escolha acertada que permitiu meu encontro literário com Truman Capote, Gay Talese e Caco Barcellos.

Desde o início da faculdade, tive a oportunidade de unir teoria à prática: estagiei no *A Notícia*, o maior jornal de Santa Catarina na época.

Durante a faculdade, pude contar com excelentes, exigentes e dedicados mestres e doutores. Neste ambiente, com as aulas de sociologia, antropologia cultural, semiótica e muita, muita redação, entendi que quase nada do mundo eu conhecia. Quando terminei o curso, já estava contratada para trabalhar numa revista de negócios e tinha me tornado colunista social, um período muito divertido. Apesar de morar no interior de Santa Catarina, a pequena cidade do norte do estado fervilhava de shows nacionais. Vivi intensamente fazendo a cobertura da agenda da região.

Como esta não é uma autobiografia, não estranhe, mas vou saltar sobre esta história como se fosse o último capítulo do roteiro de uma novela: "corta para como entrei no mercado do livro"

Coloquei em minha cabeça que precisava voltar à capital paulistana para fazer uma pós-graduação em jornalismo cultural e que, além disso, iria trabalhar numa editora. Mas não tinha contatos, referências nem experiência específica no mercado. Escrevi uma carta e enviei por e-mail aos editores que garimpei na internet. Tive a sorte de Luiz Fernando Emediato, da Geração Editorial, e de sua filha, Fernanda, estarem à procura de uma assessora de imprensa. Eles estavam com muitas publicações na época, eram quase 10 lançamentos ao mês, com o selo Jardim dos Livros e a parceria com a Editora Leitura, de Belo Horizonte.

No coração do mercado do livro

Adorava fazer releases[1], falar com a imprensa, intermediar entrevistas e o melhor: conversar com os autores. Uma das experiências que me fez admirar ainda mais o trabalho dos escritores foi ter conhecido a autora Jeanette Rozsas. Quanta pesquisa e dedicação para escrever Kafka e a marca do Corvo. Emediato publicava muita literatura e os temas mais diversos.

Divulguei entre 2008 e 2009 obras como *Helena de Troia* e *A Arte da Guerra*, mas os que mais tinham retorno de mídia eram os livros com temática política. *Honoráveis Bandidos – Um retrato do Brasil na era Sarney*, obra do jornalista Palmério Dória, chegou ao topo da lista dos mais vendidos com mais de 60 mil cópias. Foi uma loucura boa.

Papisa Joana também foi uma obra que rendeu muita mídia. Lembro que foram duas páginas na revista *IstoÉ*. Minha alegria de assessora era acordar e ir à banca colher o resultado do trabalho. Ou ligar a TV para acompanhar uma entrevista, sintonizar o rádio para ouvir o autor, garantir que ele estivesse no horário com o jornalista (e com o livro em mãos) e avisar várias vezes: não se esqueça de falar do livro e onde tem para comprar.

Neste trabalho, há mais um desafio: escritores cobram ações de venda da editora, mas têm vergonha de fazer propaganda da obra quando é oportuno! No próximo capítulo, prometo contar um pouco mais sobre a solução para os tímidos de plantão.

Foi nesta casa editorial que trabalhei com o editor Marcos Torrigo. Grande amigo que teve paciência para explicar os processos da escrita à publicação. Hoje é uma alegria tê-lo como parceiro nas mentorias e nos meus cursos.

---

1. *Press release* é um comunicado enviado à imprensa para divulgar uma notícia, um acontecimento, o lançamento de um produto etc. No *site* https://lcagencia.com.br/livros-divulgados você encontrará vários modelos de *releases* produzidos pela minha agência com textos apropriados para divulgação de livros.

Entre os vários projetos editados por ele, lembro-me de toda a organização que tivemos de fazer para lançar o livro *O Novo Relatório da CIA: Como Será o Amanhã,* com apresentação e análise do jornalista e historiador Heródoto Barbeiro. Fiquei com a missão de atrair público para a exibição ao vivo do programa da CBN apresentado por Heródoto que seria no teatro Eva Herz, na Livraria Cultura do Conjunto Nacional. Quem gostaria de discutir o relatório da CIA em pleno sábado à tarde?

Se a montanha não vai a Maomé, Maomé vai à montanha...

A alternativa para que tivesse público foi convidarmos estudantes e professores interessados pelo tema. Mandei e-mail com as informações do evento aos coordenadores da Faculdade Cásper Líbero, primeira instituição de jornalismo da América Latina e referência em cursos de comunicação. Levei também pessoalmente os convites e alguns livros aos professores. Uma professora não só fez o convite para algumas turmas, como fez a obra virar tema de um trabalho entre os alunos. Convidados, amigos do prestigiado autor e estudantes de jornalismo atentos ao tema lotaram o teatro. Resultado desta iniciativa: casa cheia, divulgação na mídia e fila de autógrafos.

Nos bastidores de todo lançamento e evento literário, saiba que há sempre um time na retaguarda. Alguém pensou no *banner*, na entrega do livro, no coquetel, em todos os detalhes!

Antes de avançar aqui, quero lhe dizer que a frase, "*Era uma vez uma criança que vivia cercada por livros*", é uma história verdadeira de uma garota que faz parte da minha vida. Catarina foi uma curiosa menina que passava boa parte dos fins de semana dentro das livrarias de São Paulo. Nossa primeira reunião de trabalho juntas, ela só tinha três meses, foi no antigo escritório da Thomas Nelson Brasil (na época, a editora fazia parte do grupo Ediouro). Lançamento, *press-kit*, *release*, aprova texto, liga para autor... e lá estava a Catarina dividindo colos entre meus colegas de trabalho nas várias pausas dedicadas à amamentação. Vida de quem é mãe e decide não parar de trabalhar. Sem o apoio do marido, amigos e clientes, o meu trabalho dedicado ao mercado do livro teria sido muito mais difícil. Até porque a Cat veio praticamente junto com o meu maior desafio profissional: ser empresária aos 26 anos...

01.

Os bastidores: da literatura ao *marketing* digital

UM *RELEASE* UM TANTO POLÊMICO DEU INÍCIO À LC, A EMPRESA QUE MAIS DIVULGA LIVROS NO BRASIL, A MAIOR NA AMÉRICA LATINA

Após um dia bem agitado na editora, tendo de responder vários e-mails, fazer pacotes, produzir um livro e organizar um evento, recebi uma ligação que, não fosse pela paciência de quem estava do outro lado da linha, poderia ter acabado num baita mal-entendido. Sem nem saber com quem estava falando, já atirei: "Escuta aqui, o Diário do Diabo é uma obra ficcional, uma brincadeira. É um livro cômico".

Estava em campanha com o envio de e-mails para centenas de jornalistas de todo o Brasil, e, apesar de a maioria já ter entendido que a referida obra se tratava de uma grande sátira com Lúcifer, ainda havia alguns repórteres julgando meu texto sobre o livro *Diário do Diabo*. O *release* também contava com uma divertida entrevista feita com meu amigo e grande escritor Paulo Schmidt (*in memoriam*, vítima da covid-19), tradutor da obra para o Brasil.

Tá tudo bem que fiz um suave e divertido *clickbait*, mas quando a pessoa abria para ler o texto, entendia que se tratava de uma obra ficcional. Recebi cada e-mail pesado... Foi meu primeiro pequeno gerenciamento de crise, ainda bem que não tinha cancelamento nas redes sociais na época. Mas vou dizer para você, o *marketing* funcionou. A maioria eram *feedbacks* divertidos e jornalistas solicitando a imagem do livro para divulgar. Só que a gente é assim, se apega à minoria sem noção.

"Calma, eu só queria dizer que adorei. Sensacional, quanta criatividade. O que era aquela entrevista com o Diabo? Meu nome é Omar de Sousa, sou editor, trabalho para uma revista cristã e faço parte de uma nova editora evangélica. Topa tomar um café comigo?"

É, caro(a) leitor(a), se pulou o prefácio, volte. Porque a culpa foi toda dele. Do outro lado da rua Major Quedinho, onde ficava o escritório da Geração Editorial, tomei um café no saguão do Novotel com um dos maiores editores deste país. Nos olhos dava para ver o entusiasmo daquele profissional apaixonado por livros. Ali, uma oportunidade: o convite para que a editora que ele representava fosse minha primeira cliente. Falou do mercado como um todo e incentivou que eu atendesse várias editoras e autores no Brasil.

Não poderia ser outra história para provar como o livro pode nos conectar rapidamente com várias pessoas e das mais improváveis formas. Quando iria imaginar que uma ficção sobre o diabo faria a minha agência ter uma editora cristã como primeira cliente?

Assim nasceu a Lilian Comunica, rebatizada anos depois para **LC – Agência de Comunicação**. Desde 2010, já tivemos a honra de divulgar mais de quatro mil livros, de tudo quanto é tema que se possa imaginar. De obras técnicas sobre energia eólica e tipos de tecidos, por exemplo, até os maiores clássicos da literatura nacional e internacional, como *O homem mais rico da Babilônia*, *A revolução dos bichos*, *O Capital* e obras de Machado de Assis, Eça de Queiroz, Jane Austen, entre tantos outros. Os desafios vieram e foram inúmeros. Mas a paixão por levar o livro, seja ficção, não ficção, infantil, infantojuvenil, negócios, espiritualidade, a toda imprensa, influenciadores, educadores e demais instituições do país tomou uma dimensão que jamais imaginaria.

Pude participar dos bastidores e contribuir para a divulgação de inúmeros *best-sellers* e, diferente de como muitos imaginam, o sucesso de um livro não vem por acaso e nem acontece naturalmente. Mesmo para escritores que já têm muita audiência, as equipes editoriais, de *marketing* e comercial se reúnem para chegar à melhor produção literária e campanha de *marketing* meses antes da publicação. Apresentar neste livro todos estes ensinamentos do que deu certo e do que não deu é uma forma concreta de ajudar você, que também deseja seguir nesta profissão com mais êxito.

Este livro vai ganhar duas páginas na *Folha de S.Paulo*

A cada nova editora que chegava à LC, maior eram as cobranças e os desafios. O primeiro foi colocar títulos cristãos na imprensa tradicional. Precisei entender melhor como cada veículo indicava livros e quais os critérios que utilizavam para que um autor fosse entrevistado. O assessor tem que saber os assuntos que mais interessam a cada veículo, seja um portal de notícias ou programas de rádio e televisão. Os assuntos abordados na obra têm de fazer sentido com a linha editorial do veículo. Isso fez a diferença nas minhas abordagens e recortes estratégicos para emplacar obra e/ou autor numa determinada mídia.

Foi também no primeiro ano da agência que começamos a trabalhar com a Editora Mundo Cristão. Divulgar todas as obras de uma das maiores casas editoriais do Brasil desde 2010 é uma honra. Ela é nossa cliente com o contrato mais longo e esteve conosco em todos os momentos da nossa trajetória, sempre nos apoiando. No amplo catálogo da editora, estão *best-sellers* internacionais e nacionais, como Gary Chapman, Stormie Omartian, Ed René Kivitz, Davi Lago, William Douglas e Cris Poli.

Outro caso de sucesso muito especial foi o do escritor e jovem cartunista João Montanaro. Trabalhei o livro *Cócegas de Raciocínio*, primeira obra do garoto prodígio que, aos 15 anos, já tinha trabalhos publicados na *Folha de S.Paulo* e na revista *Mad*, ao lado de grandes mestres como Laerte e Adão Iturrusgarai. Lembro quando fiz um e-mail enquanto assistia ao programa do Jô Soares. Contei à produtora Anne Porlan por que o nosso saudoso Jô iria gostar de entrevistá-lo. Fiquei umas duas horas naquele e-mail durante a madrugada até ter coragem de enviá-lo.

Deu certo! Levei Montanaro ao Programa do Jô, ao Mais Você, da Ana Maria Braga (que convidou toda a família para tomar café com ela ao vivo), e muitas, muitas mídias de rádio, jornais e revistas de abrangência nacional. Uma pena que a editora não soube aproveitar o *boom* destas divulgações, mas eu fiz a minha parte... João talvez só saiba agora ao ler este livro, mas o sim de disputados programas de TV na época provou que mesmo um autor iniciante tem espaço para a grande imprensa nacional quando a pauta é boa.

Você acredita em missão?

Cada pessoa que começava a trabalhar na agência se apaixonava por este trabalho tão importante para fomentar a educação e a cultura em nosso país. Saber que para cada livro escrito há um perfil de leitor, e ele pode estar neste momento à procura deste tema, era combustível para seguirmos na ampliação das nossas campanhas. A implementação de ferramentas e as parcerias para obter o *mailing* de toda a imprensa nacional fez com que as dezenas de títulos que divulgávamos ganhassem cada vez mais espaços por todo o Brasil.

Ah, faltou dizer que depois da primeira editora cristã, veio a segunda, a terceira... as editoras católicas, espíritas. Assim, a equipe LC batia novos recordes na conquista de mídia com espaços até então incomuns para divulgação de livros. Um bom exemplo foi a visita do autor Peter Ames Carlin ao Brasil para lançar a biografia de Bruce Springsteen. Durante a passagem pelo país a convite da editora, o autor foi entrevistado pelo programa Multishow durante o intervalo da apresentação do músico em pleno Rock in Rio. Sempre digo ao meu time o clássico: "O não a gente já tem". Também lembro como se fosse hoje a assessora Adriane, sempre dedicada a fazer muitas ligações à imprensa, indicando a jovem escritora Ana Beatriz Brandão para uma entrevista com Renata Capucci no programa Jornal Hoje, transmitida diretamente da Bienal Internacional do Livro do Rio de Janeiro.

Várias conquistas como estas, que vieram de um trabalho árduo e dedicado de toda equipe, se repetiram em divulgações em jornais, *sites*, revistas, rádios, *podcasts* para os demais segmentos editoriais que chegam semanalmente até a LC, como educação, jurídico, técnicos, romance, ficção científica, HQ, mangá, saúde, infantil, economia, autoajuda, além de várias outras categorias literárias que fazem parte do nosso portfólio.

O mercado muda rapidamente com as novas tecnologias. Em 2013, participei da 4ª edição do Congresso Internacional CBL do Livro Digital com o tema "O Livro Além do Livro". Durante os encontros foram debatidos temas que até hoje estão em pauta, como acessibilidade, literatura nas escolas, as editoras abraçarem o digital e somar estas vendas ao faturamento, pirataria, enfim, inúmeros assuntos. Mas o que realmente me marcou (e tenho isso anotado num caderno) foi o tema de abertura do professor da UFPE, com a apresentação "O Futuro do Livro e o Livro do Futuro – O que leremos em 2020".

Ou seja, enquanto nos perguntamos sobre o formato, há outro ponto mais preocupante a discutir: o que leremos? É a pergunta sem resposta que busco todo dia. Se precisamos motivar novos autores e autoras a publicarem, o que nossos desejados leitores querem ler? Eles ainda leem? Será que também leremos?

Novas mídias, a chegada forte do Instagram, o fechamento de muitos jornais impressos e a abertura de novos canais de entrevistas no YouTube. Tudo ao mesmo tempo. O surgimento dos blogs literários, *bookgrammers*[2], *booktokers*[3] e *booktubers*[4] foram e são fenômenos relacionados a essas transformações na maneira de consumir conteúdo (no Capítulo 19 detalho todo este movimento de influenciadores literários). Meio clichê falar isso, mas é assim para todos os segmentos. Atualize-se ou, lá na frente, seu negócio pode ficar obsoleto. Com *marketing* então, estar atentos às tendências é fundamental.

Um veículo de comunicação pode até deixar de existir ou ser acessado, mas as pessoas continuarão a consumir conteúdo. Por isso, temos de estar atentos para nos adaptar e nos aproximar dos leitores se quisermos levar o mundo dos livros (seja entretenimento, pesquisa, autoajuda, ensinamentos, poesia...) a todos os espaços. Costumo dizer aos meus alunos, “bobagem tem todo dia por aí, mas se acredita na sua obra, é hora de tirá-la da gaveta e colocá-la na mão do leitor”. Não é tão fácil como muitos pintam, mas garanto que o processo é simples e você precisa começar, como eu fiz lá no início da minha jornada.

Uma resposta eu tenho certeza para te dar: o livro não vai morrer. A gente sim, claro, rs. Pelo menos enquanto escrevo aqui, não vi nada no Google sobre imortalidade. Pode acontecer um apocalipse zumbi na

---

2. Influenciadores digitais que publicam conteúdo sobre livros no Instagram.

3. Influenciadores digitais que produzem conteúdo sobre livros no TikTok.

4. Influenciadores digitais que produzem conteúdo sobre livros no YouTube.

Terra, toda a população desaparecer, mas o livro, a sua obra, ela permanece. Então se acredita realmente no projeto que já escreveu e pretende lançar, lembre-se, durante toda a sua jornada aqui em ***O Livro Secreto do Escritor***, de que estar conectado ao leitor do início ao fim é o que vai tornar sua obra viva.

A consolidação dos autores independentes

Plantar uma árvore, ter um filho e publicar um livro. Nem sempre nesta ordem, mas experimente perguntar às pessoas próximas de você quem já pensou em escrever um livro. Como já nos disse o premiado escritor português José Saramago: "Todo mundo é escritor, só que alguns escrevem e outros não".

A chegada das editoras de coparticipação, plataformas de impressão sob demanda e todas as facilidades para publicar sem custos na Amazon KDP[5] democratizam e viabilizam cada vez mais as novas produções literárias no país. Todos os anos aqui na LC divulgamos projetos editoriais de autores e autoras que publicam suas obras sozinhos e nem por isso deixam de fazer sucesso, muito pelo contrário. É o caso de Lani Queiroz, doutora em Educação, Ciências e Matemática, que se tornou *best-seller* em romances eróticos na Amazon. Também da minha querida amiga Babi A. Sette, romancista *best-seller* com vários *e-books* na Amazon (também autora do Grupo Editorial Record). Também meus amigos Fausto Panicacci (Maquinaria Editorial), Luiz Gaziri (Editora Faro) e Paulo Stucchi (Editora Pensamento e Maquinaria) fazem parte do grupo de autores que começaram a publicar sozinhos e hoje, depois das novas produções e de trabalharem o *marketing* pessoal, publicaram também por editoras tradicionais.

5. É a plataforma da Amazon usada por autores para publicar e vender livros impressos e *e-books* sem necessidade de uma editora.

Palestrantes também preferem seguir sozinhos para ter uma margem maior de lucro nas vendas (ver Capítulo 17 – Caminhos da Publicação).

Nem tudo são flores neste mercado literário

Prometi aos meus alunos que nesta obra também contaria alguns percalços que enfrentei nos primeiros anos da minha agência. Difícil falar do assunto, já que minha intenção não é expor nenhuma editora ou autor, mas sim apresentar a todos os escritores e profissionais desde mercado (ou aos que desejam embarcar no mundo dos livros) como precisamos estar atentos ao fechar qualquer tipo de parceria.

Há profissionais e editoras sérios e dedicados como em todas as áreas, mas há quem não cumpre o que promete. A escritora Daniela (nome fictício aqui), publicou por uma editora que combinou levar o livro dela para todas as livrarias do Brasil e de Portugal. Além disso, no contrato, a editora afirmava que faria toda a divulgação da obra para a imprensa, *blogs* e influenciadores. O que não aconteceu. O pior é que mais três autores chegaram até nossa agência com as mesmas queixas, sendo que descobri dois dias antes do lançamento de um deles que o livro nem estava na livraria.

A situação exposta acima é um dos motivos para que este livro exista. Os novos autores e autoras não podem ficar reféns deste tipo de contrato que não deixa tudo às claras. Ao questionar a editora, eles disseram que a resposta foi que o livro estaria na livraria física apenas se esta solicitasse o título, o que é bem diferente do que constava no documento acordado.

Por isso, quanto mais conhecimento você tiver, escritor, mais segurança terá para seguir com o seu projeto sem ter dores de cabeça no futuro.

Ostra sem *marketing* não vende pérola

Você não leu errado. É uma brincadeira com a obra do saudoso escritor Rubem Alves, que publicou *Ostra feliz não faz pérola*. São onze crônicas que retratam, pelo olhar deste autor, vários dilemas da vida. (Aliás, recomendo a leitura!)

Foi com Rubem Alves que aprendi a ver sob outra ótica a produção peculiar das preciosas pérolas. Alguns podem achar que é romantizar o sofrimento, outros podem entender que a analogia é para mostrar a importância da resiliência humana. O fato é que a formação de uma das joias mais belas acontece quando um componente invasor (micro-organismo) penetra entre o manto e a concha. Para se proteger da irritação e inflamação, a ostra produz uma substância cristalina que fica em volta deste composto externo. Ou seja, a autodefesa do molusco é que forma a pérola.

Alves nos propõe a refletir que nos momentos mais difíceis saímos da zona de conforto. Um pouco óbvio, porque, enquanto tudo aparenta estar bem, é natural manter do jeito que está.

> *"A beleza não elimina a tragédia, mas a torna suportável. A felicidade é um dom que deve ser simplesmente gozado. Ela se basta. Mas ela não cria. Não produz pérolas. São os que sofrem que produzem a beleza, para parar de sofrer"* **(Rubem Alves).**

Já que este livro não trata somente sobre como escrever, mas também da publicação à divulgação, quis trazer a você uma reflexão: mesmo a pérola mais linda, produzida com esforço e dedicação, não vai vender se não tiver *marketing*.

Durante a elaboração do curso Escritores Admiráveis[6], tive o desafio de apresentar na aula sobre *marketing* e vendas como está o atual mercado. Em vez de começar a falar de números ou de outras maneiras para representar o setor, preferi fazer um diagrama simples no quadro da minha sala.

Como não sou boa em desenhar, segue aqui a ilustração. Agora feita por um *designer* da LC.

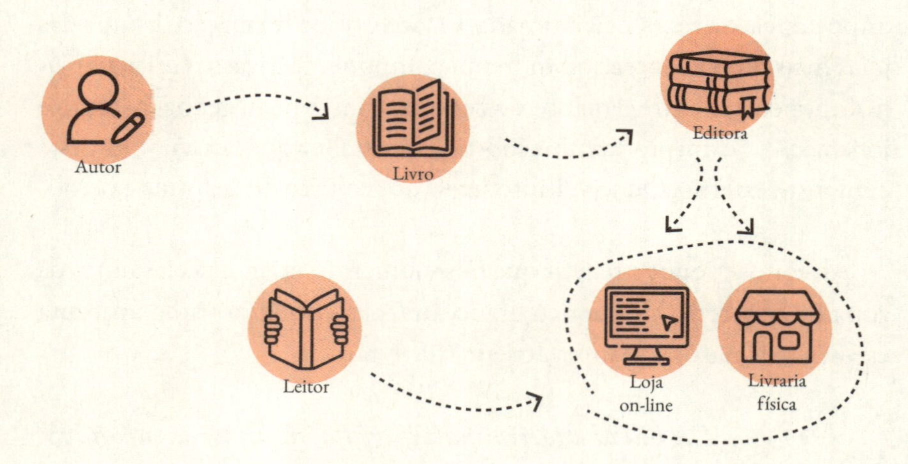

Na imagem acima, representei como era o mercado há 15 anos. Todas as vendas eram muito mais fortes dentro das livrarias. O leitor ia até elas para conhecer cada obra. Claro, é um recorte, porque há também a indicação boca a boca, o trabalho de mídia e a publicidade, que existem há anos, e continuam a influenciar as vendas. Vender livros estava muito

6. Escritores Admiráveis é um curso desenvolvido por Lilian Cardoso e por convidados experientes no mercado do livro. O programa *on-line* mais completo do Brasil para autores e autoras que desejam seguir carreira. Os módulos são: autoconhecimento, produção editorial, marketing pessoal e do livro, redes sociais e vendas. Conta com diversas aulas complementares, como financiamento coletivo, direito autoral, capa, audiolivro, *copywriting*, *site*, gestão de tráfego, Amazon KDP, e muito mais, além das oficinas práticas de escrita, título e *marketing* com as atualizações do setor. Mais informações ao fim de ***O Livro Secreto do Escritor***.

mais relacionado a colocar o livro bem exposto nas livrarias. Era mais comum a equipe comercial das editoras visitar as livrarias para apresentar os lançamentos. Promover este tipo de encontro com os vendedores das livrarias, principalmente depois da pandemia de covid-19, se mostrou uma ação inviável e financeiramente pouco praticável. Eram outros tempos, as livrarias tinham mais eventos, promoções e preços mais competitivos.

Jornada do leitor: o jeito novo

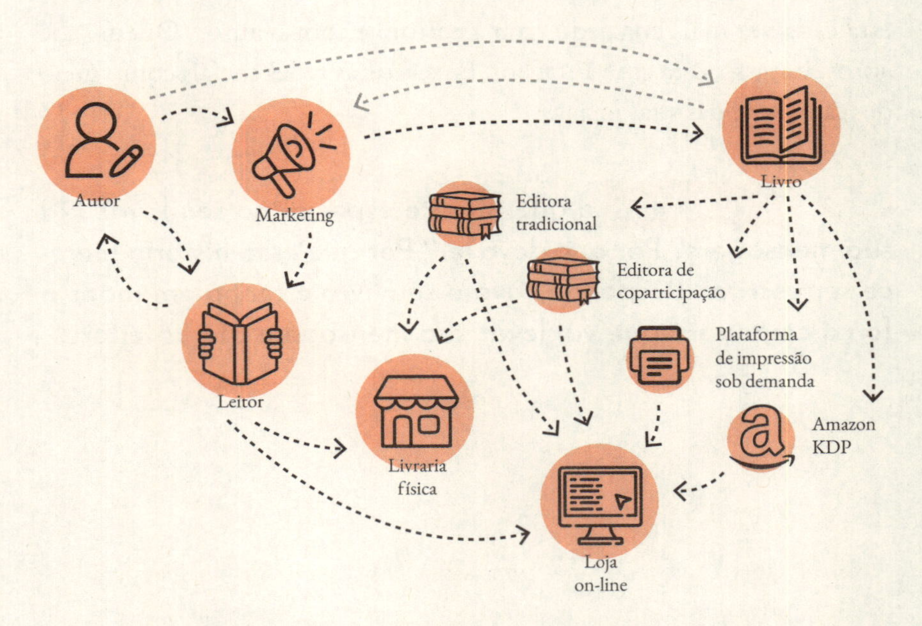

"Como assim? Primeiro marketing e depois o livro?" Leve em consideração que o leitor pode se conectar com você antes mesmo do lançamento. Não fosse assim, quantos livros já batem recordes na pré-venda? Até a forma como vai apresentar seu livro para a editora é *marketing*. Agora é a hora de você pensar do jeito atual. Não é tão inédito porque estamos há alguns anos neste movimento. Infelizmente, ainda existem editoras que pararam no tempo com *sites* obsoletos, comunicação indireta com o leitor e ainda pouco investimento em anúncio nas redes sociais.

Espero que este livro não chegue só para ajudar o escritor, mas também o editor. Afinal, todos nós do mercado precisamos trabalhar juntos para obter o sucesso. Se for a uma livraria, pergunte ao vendedor quantas pessoas já chegam diretamente para comprar o livro indicado por alguém ou já conhecia o autor pela internet. Eu faço isso. E sempre quando estou na livraria observo o comportamento dos consumidores para perceber o que o leva à compra.

O *marketing* digital gera movimento até a compra do livro. O leitor está cada vez mais engajado com a editora e com o autor. Quem sabe aproveitar isso, está em vantagem. Enxergue as redes sociais como meio de transporte das suas ideias.

#dicadalilian: o que tem de especial no seu livro? Na sua mensagem? Por que devo ler? Por que essa história merece ser escrita? Responda, viva o seu livro e tenha em mãos a força condutora que vai levar sua mensagem até os leitores.

02.

O que o leitor busca: gerações e conexões

BABY BOOMERS, X, Y (OU *MILLENNIALS*), Z E ALFA

Pela primeira vez na nossa história, vivemos o encontro de cinco gerações que têm preferências, opiniões, costumes e comportamentos bem distintos. Um desafio a todos os profissionais de *marketing* que precisam atrair determinados públicos às marcas e produtos que representam.

No universo literário, as editoras e escritores mais antenados já fazem este tipo de estudo antes mesmo da primeira frase ser elaborada. Quando somamos uma ideia original a uma escuta atenta dos leitores, o livro nasce muito mais preparado para conquistá-los.

As ferramentas de *marketing* podem ajudá-lo a ter o primeiro contato com seus fãs por meio do seu conteúdo publicado nas redes sociais. Este caminho que passa por várias etapas, incluindo a análise da sua audiência, chamamos de jornada do cliente (ver Capítulo 19).

Caso o mundo do *marketing* seja algo novo para você, recomendo as obras do escritor Philip Kotler, em especial *Marketing 5.0 – Tecnologia para a Humanidade*, lançado com Hermawan Kartajaya e Iwan Setiawan. Como aprenderá nas páginas a seguir, nosso maior problema não está no preço do livro, mas sim no valor intangível que fará o leitor comprar a ideia. Sim, todo livro parte de uma e, se não estamos seguros com a que vamos lançar, é preciso partir para ainda mais pesquisa sobre o tema e com a sua futura audiência.

Vamos aceitar: as gerações nascidas na era digital desconhecem um jeito diferente de consumir conteúdo, que não passe pela internet. Já tinha parado para pensar que eles são os seus potenciais clientes de amanhã?

Com os exercícios que proponho em ***O Livro Secreto do Escritor***, você vai observar como fica mais fácil se aprofundar na escrita e gerar ainda mais empatia em seus futuros leitores e leitoras.

As diferentes gerações de leitores

Entenda as diferenças entre cada perfil para se comunicar de uma maneira mais pessoal.

Baby boomers:
nascidos após a II Guerra Mundial

- **1946** a **1964**
- Poder econômico
- Foco em **qualidade de vida na terceira idade**
- Estabilidade
- Buscavam permanecer **em uma empresa durante a vida**

Geração X:
os filhos do meio

- **1965** a **1980**
- Autoridade
- Foco na **experimentação**
- Adaptabilidade
- A geração do empreendedorismo
- Transição para o digital

Geração Y:
os famosos Millennials

- **1981** a **1996**
- Experiência cultural
- Foco nas **vivências**
- Adaptabilidade
- A geração do idealismo
- Rede social: **Facebook**

Geração Z:
os primeiros nativos digitais

- **1997** a **2009**
- Engajamento
- Foco nas **finanças**
- Primeiros nativos digitais
- Mudanças sociais
- Conteúdo de valor
- Rede social: **Instagram**

Geração Alpha:
os filhos do século 21

- **2010** a **2025**
- Conectividade
- Foco na **individualidade**
- Influencia os pais
- Conteúdos práticos
- Conectam-se com influenciadores digitais
- Rede social: **TikTok**

Quanto mais conhecer o leitor, mais liberdade, confiança e autonomia terá para seguir com o livro.

Para outras indústrias, a realização de testes e pesquisas para lançar novos produtos faz parte da rotina. Trago o exemplo da gigante PepsiCo, que revelou analisar as conversas com os seguidores nas redes sociais para lançar novas bebidas. Ou seja, se quer ser lido, você precisa pensar em qual lugar, comunidade e espaço imagina ocupar com a sua mensagem.

Isso quer dizer também que a rede social não pode ser mais entendida pelas empresas como um canal unicamente para vendas. É preciso ouvir, interagir, desenvolver novas histórias e, o mais importante, gerar conteúdo relacionado aos assuntos da sua obra.

Fiquei por muitos anos envolvida exclusivamente na etapa da divulgação e sei, na pele, como muitos projetos não decolaram pela falta de interação do escritor com o público-alvo durante a elaboração do livro. Conhecer bem sua audiência vai até ajudá-lo na elaboração da capa, pensar numa frase mais adequada ao título e, quem sabe, criar um capítulo adicional que nem tinha cogitado.

E mais uma vez aos *cults* de plantão: este trabalho não vai descaracterizar a sua literatura

Primeiro, tenha leitores para vender ou, enquanto você trabalhar a divulgação, vai precisar construir a sua base de fãs, combinado? É claro que para quem já tem audiência fica mais fácil, embora no início provavelmente não tenha sido fácil conquistá-los!

Dois caminhos: faça um plano para entregar conteúdo aos seus futuros leitores antes da publicação, seja por meio de um canal no YouTube, artigos no LinkedIn, *posts* no Instagram, em palestras presenciais com o tema da obra... Ou precisará construí-lo enquanto trabalha para vender o livro. Na jornada do consumidor, saiba que a compra dificilmente acontece no primeiro contato dele com o produto.

Escritor: você é a sua marca

Esteja aberto a aprender com as experiências e perspectivas das gerações mais jovens e mais velhas. Compreenda como as mudanças culturais e sociais afetam a forma como os leitores recebem e interagem com a sua escrita. Conectar-se com diferentes grupos etários permite que você explore novas ideias e enriqueça suas histórias.

Assim como um navio precisa navegar pelos mares, seu livro também precisa encontrar o seu caminho para atingir o público certo. Explore diversas oportunidades de divulgação, como livrarias, saraus, palestras e eventos literários. Esteja presente onde seus leitores em potencial estão e busque maneiras criativas de atrair sua atenção. Liberte seu livro e permita que ele navegue com confiança, evitando o risco de encalhar em um mar de esquecimento.

Material complementar

Leia o QR Code ao lado e inspire-se nos autores nacionais e internacionais que têm se conectado com seus leitores por meio das redes sociais.

03.

Que tipo de escritor você é?

Quando fiz minha matrícula na faculdade de Comunicação Social – Jornalismo, achei que a decisão mais importante da minha carreira tinha sido tomada. "Ufa", eu pensei. "O caminho está traçado." Mal sabia da importância de entender qual seria meu perfil de jornalista e se ele combinava com minhas aspirações para o futuro.

Ao longo dos semestres, fui capaz de identificar qual área do jornalismo mais se adequava comigo, com minhas vontades, habilidades e desejos para a carreira. O autoconhecimento permitiu que isso fosse possível – ele é poderoso!

Se existe em todas as profissões a necessidade de entender o perfil de cada profissional, por que seria diferente para os escritores? Essa foi a razão que me levou a desenvolver o teste S.E.E.R.: trata-se de uma ferramenta para ajudar todo interessado na carreira literária a entender que tipo de escritor é. Sonhador? Seguro de si? Especialista? Entusiasta? Raro? Agora você vai descobrir.

Antes de apresentar o teste, explico como desenvolvi esta ferramenta de autoconhecimento. Ele é uma adaptação do teste de personalidade DISC, que é, por sua vez, baseado no trabalho *Emotions of Normal People*, publicado em 1928 por William Moulton Marston. Além de ser PhD em Psicologia pela Universidade de Harvard, o pai da teoria DISC também é o criador da Mulher-Maravilha. SIM! Moulton foi também psicólogo e roteirista de histórias em quadrinhos nos Estados Unidos. Versátil, concorda?

Outro ponto que devo deixar claro: não é a minha intenção colocá-los em uma caixa ou criar rótulos, mas apontar reflexões para ajudá-los a alcançar o sucesso da carreira. Ao identificar o seu perfil, poderá explorar melhor os caminhos e trilhar uma jornada baseada naquilo que realmente se propõe a ser, ou ainda, no que deseja se transformar.

SEGURO DE SI

Escritores com este perfil são bem-vistos pelo mercado editorial no quesito "vendas". Voltados para resultados, não vão desistir até que o sonho se realize de maneira concreta, ou seja, em números!

Devem tomar cuidado com a frustração, pois quando não conquistam o resultado esperado em pouco tempo, tendem a ficar muito autocríticos. Lembre-se: talvez as vendas do livro não estejam relacionadas ao produto ou ao autor, mas sim a outros fatores do momento do mercado!

Por outro lado, sabemos que este perfil é do tipo que cai e se levanta. Não irá desistir, e o sucesso pode ser só questão de tempo e paciência.

Pontos fortes: vendedor, objetivo, destemido, competidor, ágil e rigoroso.

Pontos a serem trabalhados: frustração, reflexão, impaciência, transigência e apreensão.

SONHADOR

É certeza de que boas histórias serão contadas, já que a imaginação e criatividade são pontos fortes. É um perfil com o qual as editoras gostam de trabalhar, pois sabem que haverá um elo de confiança e lealdade.

Devem explorar o lado visionário e trabalhar a autoconfiança para acreditar mais nos projetos. Tendem a deixar que o pessimismo – que pode bater para todos – seja uma constante na vida. Para impactar muitos leitores como desejam, precisam ser mais ousados.

O Sonhador é um escritor idealista e romântico.

Pontos fortes: visionário, é leal, pensativo, gosta de trabalhar em equipe e é modesto.

Pontos a serem trabalhados: concentração, credibilidade, expressividade, autoconfiança, pessimismo.

ENTUSIASTA

É aquele escritor que todo mundo quer por perto. Na maioria das vezes, é alto-astral, com boas ideias, sempre com uma carta na manga para entreter a todos.

O mercado editorial gosta deles, pois sabe que comunicação e divulgação para a obra não faltarão. Têm um forte poder de influência e devem aproveitar esse lado extrovertido para agradar também seus leitores.

Um ponto para prestar atenção é a indisciplina: é possível que atrasem os prazos de entrega ou atropelem os passos da divulgação.

O Entusiasta tem um grande poder de influência.

Pontos fortes: emotivo, comunicativo, positivo, extrovertido e influenciador.

Pontos a serem trabalhados: inconveniência, insistência, teimosia, indisciplina e intromissão.

ESPECIALISTA

É o típico descobridor de fatos. Conversar com eles é sempre uma aula. Escritores com esse perfil costumam trazer muita pesquisa para o livro e, em sua maioria, tendem a ser organizados.

Os editores adoram trabalhar com este perfil, pois sabem que haverá um conteúdo de alta qualidade e bem fundamentado. A maioria costuma ser teórico e sistemático. É preciso tomar cuidado para não travar a escrita ou deixar o livro muito engessado.

O Especialista é um escritor muito perfeccionista.

Pontos fortes: pesquisador, teórico, atencioso, crítico e ponderado.

Pontos a serem trabalhados: individualidade, desconfiança, sensibilidade, perfeccionismo, inflexibilidade.

RARO

Escritores raros reúnem todos os elementos que, em equilíbrio, farão dele um sucesso. Trata-se de uma união dos outros perfis.

Pontos fortes: vendedor, exigente, pesquisador, perfeccionista e leal.

Pontos a serem trabalhados: frustração, teimosia, motivação e apreensão.

Adoro acompanhar a jornada de crescimento dos meus alunos no curso Escritores Admiráveis. Nenhum dos perfis é ruim, mas quanto mais cada um deles é desenvolvido, mais habilidades o escritor conquista. Isso aconteceu, por exemplo, com o Marcelo Felix. No começo das aulas, ainda no módulo de autoconhecimento, ele se encaixava mais no perfil sonhador. Hoje, depois de ter entendido a importância do *marketing*, desenvolveu características do tipo seguro de si e é o verdadeiro garoto--propaganda do próprio livro.

Para identificar qual é o seu perfil, escaneie o *QR Code* e responda às perguntas com sinceridade. Lembre-se de que todos são bons e únicos! Ressalto que as informações oferecidas ao participar deste teste são confidenciais: eu e minha equipe não teremos acesso aos dados, apenas ao resultado consolidado para fins estatísticos.

Descubra o seu perfil como escritor(a)
Leia o QR Code ao lado e faça o teste "S.E.E.R.".

04.

A lista dos mais vendidos: leitores não são dígitos

Acreditar na existência de um caminho certeiro para produzir *best-sellers* seria como imaginar um plano de negócio perfeito para uma empresa dar 100% certo, o que é impossível. O mesmo exemplo vale para fazer uma faculdade ou um curso técnico: não é garantia de uma carreira sólida. Tudo exige muita dedicação e um pouco de sorte, claro.

É assim com todos os mercados e carreiras. No entanto, durante estes anos, tendo a oportunidade de divulgar vários *best-sellers*, notei que há sim, alguns pontos em comum. Assim, convido você a embarcar comigo até o ponto-final deste livro para aprendermos juntos.

Vamos de Mauricio de Sousa a Clóvis de Barros Filho?

Era 2013, na 16ª Bienal Internacional do Livro do Rio de Janeiro, não contive a emoção e esqueci por alguns segundos que era assessora. E mais: era a responsável por divulgar o livro *Os Milagres de Jesus com a Turma da Mônica*, de Mauricio de Sousa e Padre Luís Erlin, pela Editora Ave-Maria.

Aquela criançada ao lado dos pais por mais de três horas sentados ao redor do estande, contando cada segundo para ver o pai da turminha mais amada do Brasil, me fez entender de perto a emoção passada de geração em geração. Cartazes, gritos e a dedicação daquelas pessoas que chegaram horas antes para pegar as disputadas 80 senhas. Quando Sr. Mauricio chegou ao lado da Mônica e Cebolinha, fui parar em 1987, quando ganhei minha primeira boneca da dentuça mais corajosa que conhecia.

O carinho de todos meus colegas da Editora Ave-Maria, o autógrafo do artista que, sem pressa, perguntava o nome, trocava algumas palavras, enquanto os flashes não paravam... Choro também de quem passava pelo estande e desejava ter por alguns segundos um momento com o ídolo. No dia, combinei com o querido Sidney Gusman, um dos maiores especialistas em quadrinhos do Brasil, responsável também pela área de Planejamento Editorial da Mauricio de Sousa Produções, uma entrevista do amado cartunista com o repórter da TV Globo. Afinal, a missão era também divulgar o livro para a editora a qual trabalhava. Desde que frequento bienais já tive a oportunidade de divulgar várias obras de Mauricio de Sousa para outras editoras, como a Boa Nova.

A gente que fica nos bastidores tem empatia demais por quem é muito assediado. Na sala destinada aos autores, demorei anos até ter coragem de pegar um autógrafo para a Catarina. A gente está lá para assessorar, e não para tietar. É por isso que quando meu sócio Felipe Pillon me pedia fotos com os famosos com quem já trabalhei, poucas tinha.

Compartilho as histórias dos famosos com quem já trabalhei não para provar nada, mas sim para que saiba que por trás de todos estes *best-sellers* e celebridades há pessoas como você. Monja Coen, padre Fábio de Melo, o filósofo Mario Sérgio Cortella, a atriz Mariana Rios, o ator e cineasta Lázaro Ramos são algumas das tantas personalidades com livros divulgados pela LC. Também ultrapassamos as fronteiras do Brasil e já divulgamos grandes nomes da literatura internacional, como os *best-sellers* Max Lucado, Rupi Kaur e até Klaus Martin Schwab, presidente do Fórum Econômico Mundial.

Nem eu acredito quando olho o portfólio da LC hoje. Gente, divulgamos o livro até do Papa Francisco, lançamento lindo chamado *Sabedoria das Idades*, pela Editora Loyola. Coloquei na mídia nacional até livro infantil da Madonna. É tema para tudo que é gosto. Tudo que é mídia. Política de direita, de esquerda, de todas as religiões, para ateus, obras para a criançada, livro para quem não quer ter filhos, para quem quer ser líder e para os que desejam diminuir o ritmo.

Todas as histórias inspiram e criam laços até hoje comigo e com meus colaboradores. Ser assessor de imprensa é acreditar, passar a mensagem adiante e gerar interesse da mídia até ela chegar aos leitores. A cada obra divulgada, muitos aprendizados. A Sophie Deram, por exemplo, foi uma francesa que me ensinou com o livro *O Peso das Dietas:* tudo bem comer de tudo um pouco sem neura. Patrícia Lages, *best-seller* dos livros *Bolsa Blindada* e *Virada Financeira*, é uma das escritoras que virou amiga. Sei que batalhou muito para chegar aonde está. Após passar pela experiência de perder tudo financeiramente e viver uma história de superação inspiradora, foi até convidada para palestrar em Harvard.

Sabe quando dizem que você atrai o que gosta? É sério. Funciona. Até evito falar que trabalho com livros quando estou de férias, porque, caso contrário, posso não ter férias. Confesso que vou andar com este livro na bolsa no meu primeiro descanso. Já vou separar um para o Diogo Portugal, com quem, numa coincidência, dividi o táxi do hotel onde estávamos no ano-novo em Foz do Iguaçu. Ele precisava comprar uma cueca branca nova para a passagem de ano a pedido da esposa. Já eu, precisava comprar uma roupa decente, porque meu marido não avisou que teria uma superfesta no *resort* onde estávamos. Acostumada com a virada na praia, levei na mala apenas uma saia branca e uma blusinha que não tinham nada a ver com o lugar.

Sem Uber, dividimos o último táxi que conseguimos na recepção. Era por volta das 15 horas. Ele vai saber quando ler o livro, mas eu pensei: *ele vai perguntar o que faço, vou falar que trabalho com livros e ele vai dizer que tem dois para publicar*. Era dia 31, gente! Dito e feito. Divertido, comediante, solto na fala, logo perguntou e não consegui mentir. Até tentamos tomar um café no shopping depois que cada um fez suas compras, mas eram 17 horas e tudo estava fechando. (Ainda vou escrever uma crônica deste dia e contar no programa *Que história é essa, Porchat?*)

Em 20 minutos, entre a ida e a volta ao hotel, contei como funcionava o mercado. Tudo que está detalhado na Parte II deste livro resumi em velocidade acelerada. Dei dicas sobre o contrato com a editora, como ele poderia fazer para ter os livros em palestras... Enfim, trabalhei. Só me arrependo de não ter uma foto com ele, mas é assim, como disse, estou mais para uma trabalhadora do livro do que para tiete, rs. Preciso melhorar nisso. Se fosse com um aluno meu, perguntaria: "Como não tem uma foto para postar nas redes sociais???".

Os dois livros que ele vai publicar são incríveis, aliás, interrompi aqui a escrita para perguntar como estavam os projetos, e a boa notícia é que um deles já está pronto e logo será publicado. Fique de olho nas redes sociais do artista. Mais uma coincidência: quem está editando o livro dele também vai lançar uma obra pelo meu cliente, a DVS Editora; descobri na reunião. Enfim, este mercado, minha gente, não é tão grande como muitos pensam. E é por isso que este livro tem a minha voz, minhas histórias e minhas dicas mais sinceras para que você se jogue, sem medo, no mundo dos livros.

Ah, e faltou falar do *best-seller* que divulgo por esta casa editorial: Clóvis de Barros Filho. Escritor brasileiro, reconhecido internacionalmente, que nos inspira com a fala bem-humorada e a capacidade de simplificar conceitos complexos da filosofia. Se ainda não conhece o *podcast* Inédita

Pamonha disponível no Spotify, cole um *post-it* aqui para lembrar de colocar na sua *playlist* (tá, pelo Clóvis, até pode fazer uma orelha). Entre no site da Citadel e veja todos os lançamentos deste autor como: *Em busca de nós mesmos, Inédita Pamonha* e *A Felicidade é Inútil*, por exemplo.

Escritores e escritoras que fazem sucesso são os que acreditam nos seus projetos, dão primeiro passo e seguem de maneira consistente. Estou aqui por meio deste livro para lhe dar a mão e mostrar que é tudo possível, mas você precisa acreditar, combinado?

Como diz minha querida amiga, Malu Poleti, editora de não ficção da Editora Planeta: "Cuidado para não fazer sucesso só na gaveta".

Best-seller x *long-seller*

Um livro somente é considerado *best-seller* quando se torna popular entre os leitores e alcança um grande número de vendas. Na definição, considera-se um tipo de literatura que agrada a massa, ou seja, uma obra que terá também repercussão na mídia e na crítica.

Sabemos quais são as obras mais vendidas do momento quando aparecem nas listas do *The New York Times* e, no Brasil, pela *Veja*, PublishNews, Amazon... Já percebeu que várias obras internacionais expostas nas vitrines têm um selo "*Best-seller* do *The New York Times*" ou "Autor *best-seller* do *The New York Times*"? As editoras nacionais também dão destaque para a conquista nas campanhas de *marketing* e incluem a informação nas edições.

Também há os *long-sellers*, e aposto que você já leu pelo menos um deles. De *Harry Potter* a *O Alquimista*, as obras consideradas *long* são aquelas que continuam a vender bem, mesmo depois de anos do lançamento.

Todo best-seller é long-seller então, certo?

Errado. Alguns livros têm um sucesso momentâneo, algo no calor do momento. *Timing* perfeito, boa estratégia de *marketing*... *Long-seller* é aquele livro que o seu avô tira da estante e dá para você ler e depois, futuramente, seu filho também lerá, e assim por diante. Ou seja, um livro que fica por muito tempo à venda ou, depois de muitos anos de lançado, volta a vender permanentemente.

O exemplo mais conhecido deste caso é a saga Harry Potter. Mais de duas décadas depois, a história do bruxinho ainda é conhecida. Os adolescentes que consumiram na época do lançamento são adultos agora e compram os livros para seus filhos, sobrinhos... Você sabia que todo ano, no dia 1º de setembro, diversas pessoas continuam a celebrar nas redes sociais a data em que Harry foi para Hogwarts pela primeira vez? Vê o poder dos leitores em manter um legado? Não há previsão de quando Harry será esquecido.

No Brasil, temos Paulo Coelho, um autor extremamente aclamado e que teve a obra *O Alquimista*, publicada em 1988, traduzida para 91 idiomas. O livro vendeu 81 milhões de exemplares, mas continua a ser consumido e passado de geração em geração.

Como os livros vão parar na lista dos mais vendidos?

Temos duas listas no Brasil que oferecem um panorama de quais livros estão em alta no momento. Sempre incentivo meu time a ficar de olho, e o mesmo vale para você, autor. Saber os temas mais consumidos dá uma vantagem para observar o que tem atraído os leitores.

A lista da *Veja* é dividida em categorias: autoajuda e esoterismo, ficção, não ficção e infantojuvenil. O *ranking* é baseado em dados fornecidos pela Bookinfo, uma empresa especializada em análise de mercado para a indústria editorial brasileira.

Já a do PublishNews é elaborada a partir da soma das vendas de todas as livrarias consultadas. As categorias são divididas em: geral, ficção, não ficção, autoajuda, infantojuvenil e negócios – além de ter uma aba específica para obras nacionais.

Tanto a lista[7] da Veja quanto a do PublishNews são atualizadas de acordo com as vendas da última semana, então este tempo precisa ser levado em consideração na estratégia de *marketing*. Não há como determinar um número mínimo de livros que precisam ser vendidos para que o título entre no *ranking*: tudo depende das vendas das outras obras que também estão em destaque. Qual vender mais no período de uma semana, fica com o topo.

No geral, há todo um cuidado na hora de planejar a publicação da obra se o objetivo é que ela seja um *best-seller*, como decidir se haverá pré-venda e por quanto tempo, se algum outro autor muito famoso lançará um livro no mesmo período, *networking* com as livrarias e distribuidoras etc. O time de *marketing* da editora trabalha para que haja um pico de vendas na semana em que a lista contabilizará as vendas dos livros.

Lembre-se de que as listas são um recorte do cenário dos livros mais vendidos no Brasil. Por considerarem apenas as vendas de redes específicas, é possível que um palestrante, ou até mesmo livrarias de nicho (como as de espiritualidade), vendam tanto quanto as obras das primeiras posições.

Em nível internacional, temos a lista semanal do *The New York Times*, considerada a mais influente e respeitada no mundo editorial. Ela é publicada desde 1931 e baseia-se nas vendas de livros em diferentes

7. Acesse a lista da Veja em www.veja.abril.com.br e a do PublishNews no *site* www.publishnews.com.br

formatos, incluindo versões impressas, audiolivros e *e-books*. Também utiliza informações de vendas de assinantes e clubes de leitura, bem como dados de vendas das obras fornecidas por varejistas *on-line*, como a Amazon.

As informações são auditadas por empresas terceirizadas para garantir a precisão e integridade dos dados. É importante destacar que as vendas são baseadas apenas em dados dos Estados Unidos, ou seja, não incluem as internacionais.

Para os autores e editoras, ter um livro na lista dos mais vendidos do *The New York Times* é sinal de prestígio e sucesso. A exposição impulsiona ainda mais as vendas não só nos EUA, mas no mundo inteiro.

Já na Amazon, a lista é atualizada de hora em hora e se baseia somente nas vendas feitas na própria plataforma.

Os *best-sellers* do momento para inspirar você

Os livros de Napoleon Hill somam mais de 100 milhões de cópias vendidas em todo o mundo. O *best-seller* Mais Esperto que o Diabo, por exemplo, está entre os tops 5 mais lidos do Brasil por três anos consecutivos.

Na categoria não ficção, o destaque é para a obra *Café com Deus Pai*, publicada pela Editora Vida e também divulgada pela LC. O diário devocional também ocupa a primeira colocação do *ranking* geral da lista.

Enquanto escrevo este livro, Colleen Hoover é a *best-seller* do momento na categoria ficção: ela emplacou *É assim Que Acaba* como o livro mais vendido de 2022 e a continuação, *É Assim Que Começa*, começou 2023 despontando em primeiro lugar. Para conferir o *ranking* anual atualizado, entre no *site* do PublishNews.

Mais algumas curiosidades por trás dos livros de sucesso

Em todo o mundo, apenas cinco pessoas (até a publicação dessa obra) resolveram o mistério proposto pela obra *Mandíbula de Caim*. O romance foi lançado no Brasil pela Editora Intrínseca no fim do ano passado, 90 anos após a publicação original do inglês Edward Powys Mathers, sob o pseudônimo de Torquemada. A obra vendeu mais de 60 mil exemplares em menos de 20 dias: impulsionado pelo TikTok, tornou-se um fenômeno ao protagonizar vídeos e *posts*.

O jovem escritor Pedro Rhuas está entre os novos *best-sellers* brasileiros. O livro *Enquanto eu não te encontro*, vencedor do concurso CLIPOP (Editora Seguinte), vendeu mais de 50 mil exemplares em um ano. Além disso, alcançou o terceiro lugar na categoria infantojuvenil da Veja. O segundo título, *O mar me levou a você*, foi publicado pela mesma editora. Pedro é um exemplo de que escrever e direcionar o projeto para um nicho específico aumenta as chances de sucesso. A força do TikTok impulsionou o projeto: ele se conectou com o público LGBTQIAPN+ e também com os nordestinos, os quais tiveram um destaque e representação na obra.

Impossível não falar da brasileira Carla Madeira. *Tudo É Rio,* de sua autoria, foi publicado pela primeira vez em 2014 e relançado pela Editora Record em 2021. Seis meses após a nova edição, mais de 145 mil exemplares haviam sido vendidos. Com outros dois livros da autora, *A natureza da mordida* (que também entrou para a lista dos mais vendidos) e *Véspera*, venderam juntos mais de 260 mil exemplares. Ela foi a segunda escritora mais vendida do Brasil em 2021, ficando atrás apenas de Itamar Vieira Junior, autor do fenômeno *Torto Arado*.

Material complementar

Leia o QR Code ao lado e conheça os livros mais vendidos da história, no Brasil e no mundo.

O que há (na maioria das vezes) em um projeto *best-seller*

Muitos *best-sellers* ficaram algum tempo nas "sombras" antes de conquistar a atenção total do público. Que o diga Stephenie Meyer com as 14 recusas que recebeu ao tentar publicar a saga *Crepúsculo*. Os livros já venderam mais de 160 milhões de exemplares e foram traduzidos para mais de 30 idiomas. A brasileira Cassandra Rios teve seu livro rejeitado por todas as editoras de São Paulo e acabou por publicar a primeira edição com um dinheiro emprestado pela mãe. Resultado? A obra foi reeditada nove vezes e a autora se tornou a primeira escritora nacional a vender um milhão de exemplares.

Os autores mais vendidos da atualidade estão atentos ao que os leitores buscam. Está tudo bem "surfar em uma onda", mas o que seu livro trará de diferente para não ser apenas mais do mesmo? Seguir uma tendência não significa abrir mão da originalidade. Fique de olho nos assuntos mais comentados nas redes sociais e nos temas em alta nos *streamings* (sim, o mundo cinematográfico influencia também o editorial – e vice-versa). Você pode ir além e ativar o Alertas do Google e colocar palavras-chave como "livros" e "mercado editorial" para receber no seu e-mail as principais notícias do momento.

Caso o escritor já tenha uma base de leitores formada e ansiosa para a publicação do livro, as chances de as vendas terem um salto são bem maiores. Ainda que tenha o apoio da editora na divulgação, é o desempenho do autor que determinará o sucesso. Os escritores mais bem-sucedidos sabem como utilizar as redes sociais em seu favor, explorar a base de contatos, fazer parcerias com influenciadores...

Ninguém gosta de contar com a sorte, mas ela também tem porcentagem de influência. Pode ser que uma editora invista no seu projeto bem no momento em que há uma grande demanda por livros de determinados assuntos. Ficar de olho no mercado significa também prever algumas tendências.

Muito além do talento nato, o escritor *best-seller* está sempre em evolução. Isso está muito ligado à persistência também. Diversos nomes da literatura que hoje conhecemos só fizeram sucesso no segundo, terceiro ou quarto livro.

#dicadalilian: os escritores Jodie Archer e Matthew L. Jocker desenvolveram um algoritmo que estudou mais de quatro mil livros para acharem características em comum entre os mais vendidos. O resultado completo do estudo está disponível no livro *O segredo do best-seller*. Uma leitura que recomendo para você entender mais como alguns livros conquistaram tanto – e tão rápido – as pessoas. Por ser da área de humanas e não de exatas, confesso que achei a parte dos números cansativa, mas se fosse para resumir em uma palavra, eu diria que o segredo está na "emoção" que o livro causa. *Cinquenta tons de cinza* e *O Código Da Vinci* estão entre os livros que apresentaram fortes variações e prendem o leitor na história. Não à toa, quando acontece tal efeito, a indicação boca a boca ganha uma dimensão que ultrapassa as fronteiras.

O escritor brasileiro merece reconhecimento, mas ele precisa fazer a parte dele...

"Eu quero que a editora venda a obra para mim" ou "eu sou escritor, não publicitário". Fazer o *marketing* do próprio livro não tem a ver com você precisar bater de porta em porta, mas reconhecer que as vendas e o sucesso dependem sim do quanto se dedica ao projeto como um todo: desde a escrita, publicação até a divulgação.

Está bem enganado quem afirma: "Antigamente era muito mais fácil ser escritor". Alguns dizem até que o autor de algumas décadas passadas não precisava se preocupar com nada além de desenvolver o livro. Pesquise: de Machado de Assis a Lima Barreto, muitos faziam um trabalho de *marketing* para chegar até os leitores.

Afonso Henriques de Lima Barreto, ou somente Lima Barreto, é um exemplo quando falamos sobre este esforço. O autor, nascido sete anos antes da Lei Áurea, foi considerado um dos fundadores da literatura afro-brasileira e participou da fase pré-modernista. Nos textos, costumava fazer críticas à sociedade, em especial à elite da época.

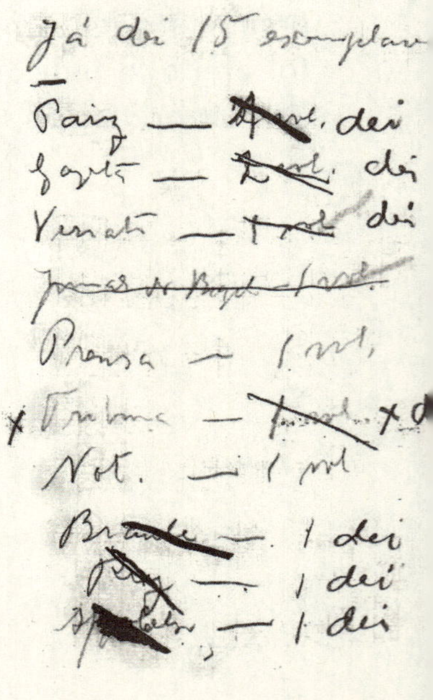

O escritor tinha um caderno separado apenas para anotar os nomes das pessoas para quem já tinha dado um exemplar de sua obra mais famosa, *Triste Fim de Policarpo Quaresma*. Assim, controlava de perto a divulgação do livro.[8]

8. Imagem retirada do acervo digital da Biblioteca Nacional. Acesse em: http://objdigital.bn.br/objdigital2/acervo_digital/div_manuscritos/mss1428168/mss1428168.pdf.
Algumas páginas de seus manuscritos e cartas trocadas com outras pessoas estão disponíveis no acervo digital da Biblioteca Nacional: https://bndigital.bn.gov.br/acervodigital/.

O mais interessante é notarmos que Lima explorava ao máximo a rede de contatos que tinha e enviava até cópias do livro para a própria irmã.

"Lilian, qual o tema que está em alta?"

Muitas editoras embarcaram na onda de publicar livros de celebridades e *youtubers*, principalmente entre 2012 e 2015. Importante explicar: não há garantia de sucesso da obra só porque o autor tem milhares de seguidores.

Divulguei Christian Figueiredo, da série *Eu Fico Loko*. Foi bem na época em que ele lançava o filme. Cuidamos de toda a campanha de mídia para falar do livro pela Editora Novo Conceito junto com a equipe de *marketing* da Paris Filmes e Downtown Filmes. Lembro-me dos mais de 100 influenciadores literários que foram na pré-estreia a convite da nossa assessoria prestigiar o Christian, na sala de cinema do Itaú, na rua Augusta, em São Paulo.

A conexão dele com os inscritos no canal do YouTube resultou na venda de 137 mil exemplares só da primeira obra da coleção.

Este sucesso estimulou outras editoras a também lançarem influenciadores de diversas áreas, como a palestrante e escritora cristã Fabiola Melo (*A culpa não é sua*, Editora Mundo Cristão) e a jornalista Fabiana Bertotti (*Onde mora a felicidade?*, Editora Planeta), ambas divulgadas na época pela LC.

Os canais de *gamers* também vieram para a literatura. Houve uma onda de livros de minecraft e até Pókemon. Divulgamos os livros *Isolados – O enigma* e *Um novo mundo*, de Bibi Tatto, a *YouTuber gamer*[9] mais

---

9. Algumas páginas de seus manuscritos e cartas trocadas com outras pessoas estão disponíveis no acervo digital da Biblioteca Nacional: https://bndigital.bn.gov.br/acervodigital/.
É um influenciador que usa o YouTube para divulgar conteúdo sobre jogos eletrônicos.

conhecida do Brasil. E uma moda vai puxando a outra, é assim em qualquer mercado. Só que é preciso surfar rápido, porque o que é *hype* dura pouco.

Minha amiga e escritora Camila Piva (que, aliás, admiro muito) aproveitou a tendência e fez um livro todo interativo numa linguagem bem apropriada para a garotada. O título *Quero ser uma YouTuber* foi escrito em parceria com a Julia Silva. A brasileira, que começou aos 9 anos, hoje, aos 18 anos, já soma mais de 4 milhões de inscritos no canal.

Quando um *youtuber* ou celebridade lança uma obra, claro, sempre causa um barulho na mídia e nas redes sociais, mas depois é difícil se manter. Isso ainda funcionava bem mais antes da pandemia de covid-19, já que aconteciam muito mais sessões de autógrafos presenciais, e os fãs do artista iam muito mais para tirar uma foto com o autor do que necessariamente para ler o livro.

E tá tudo bem com isso, viu? Eu mesma trabalhei em várias sessões de autógrafos de perfis assim, mas não é o ponto da discussão. Observo uma nova geração que exige do mercado editorial mais humanização na literatura. Não é só sobre ser famoso, é ter um conteúdo de valor.

O editor de hoje também não é mais o mesmo. Ele precisa estar conectado e verdadeiramente atento aos leitores e leitoras. Que tipo de livros eles buscam? Quais os temas mais pesquisados? O que os jovens do TikTok têm recomendado? Quais as novas pautas econômicas, políticas e sociais? O que queremos reaprender com a história? Quais livros, antigos e/ou raros, merecem ser relançados? Isso não quer dizer, como infelizmente muitos pensam, escrever o que o LEITOR espera, mas sim surpreendê-lo com algo inédito. Podemos criar uma nova onda literária ou surfar em uma.

Só, por favor, nada de ser um escritor ou uma escritora que fica julgando o sucesso alheio. Um tipo de livro pode não te agradar, mas tenho certeza de que cada movimento, até aqueles que fogem dos clássicos temas, tem sua importância. Quantas mulheres voltaram a ler com a chegada de *Cinquenta tons de cinza*? Saiba que estas mesmas mulheres começaram a navegar por outras categorias literárias depois desta primeira experiência. Nada de debochar dos sotaques e dialetos regionais, como, por exemplo, afirmar ser mais certo "tu" do que "você". O preconceito linguístico existe, e isso não tem a ver com a nossa arte.

Respira, você não é o ChatGPT

Está tudo bem querer ser um *best-seller*, mas não deixe este sonho travar você. Curta a jornada e não tenha pressa em publicar o seu projeto. Mais do que isso, explore ao máximo o seu lançamento e invista na divulgação dele. Cabe aqui a frase que pedi ao meu time para sempre me lembrar: "Desistir não é uma opção". Use estratégias de *marketing*, mude e adapte as ações sempre que precisar. Peça ajuda a sua rede de apoio.

Não seja uma máquina que produz um livro atrás do outro sem pensar no propósito deles, para qual público se destinam.

Nas páginas a seguir, você vai ver como é importante para o atual escritor conectar-se com os leitores desde o início dos trabalhos. Entenda para qual geração é destinada a obra para ter uma comunicação mais assertiva, seja para alinhar a narrativa do seu livro ou para fazer sua campanha de divulgação.

05.

O impacto do livro na sociedade

"O Sertanejo é, antes de tudo, um forte."
— Os Sertões, Euclides da Cunha

É incrível pensar que pelas páginas de um livro podemos viajar no tempo e no espaço, aprender com mentes brilhantes do passado e do presente. Não podemos imaginar que são somente textos, são verdadeiros espelhos da nossa condição humana representada através da literatura.

Ao mergulhar nas palavras de diferentes autores e autoras por todos estes anos, fui levada a uma jornada de introspecção durante a produção deste livro. Quem devo citar? Com quais aprendi? Quando me emocionei? Difícil fazer um recorte aqui quando o que desejo neste capítulo, mais do que compartilhar as minhas experiências, é convidar você a se lembrar das suas.

Uma das maravilhas mais fascinantes da ficção, que muitas vezes são depois transportadas à sétima arte, é nos levar a terras desconhecidas, fazer humanos terem a capacidade de enfrentar terríveis monstros, sobreviver a um enorme desastre natural e desvendar crimes que jamais imaginaríamos pensar. Cada livro é uma porta para aventuras inexploradas, um convite para a mente viajar além das limitações da realidade cotidiana.

E as obras que enriquecem e aprimoram nossos conhecimentos, sejam os de história ou didáticos, por exemplo? Cada livro técnico também é um guia confiável, permitindo que os profissionais alcancem mais êxito na carreira. Aliás, esta foi minha proposta com a Parte II do livro ao transformá-lo num *workbook*.

Para as crianças e adultos que precisam voltar a sorrir (e até a reaprender), estão lá as histórias infantis contadas pelas habilidosas mãos dos escritores e ilustradores com a missão de apresentar o mundo da literatura aos pequenos. Das fábulas aos dilemas dos adolescentes, seja por meio da série *Diário de um Banana*, do prestigiado escritor norte-americano Jeff Kinney, ou da coleção do premiado escritor brasileiro Pedro Bandeira, que até hoje marca gerações.

Quando precisamos aprender com a história, entender a evolução humana, lá estão os grandes nomes da nossa literatura nacional, entre eles, na ordem que me vem à mente, Nelson Rodrigues, Machado de Assis, Carlos Drummond de Andrade, Clarice Lispector, Cora Coralina, Cecília Meirelles, que atravessam o tempo por meio das suas escritas para trazer a nós um recorte de como éramos e se ainda "somos os mesmos e vivemos como os nossos pais" – como já nos disse outro poeta, o compositor Antônio Carlos Belchior, na canção de Elis Regina. Vale lembrar que os compositores também são autores. "*Numa folha qualquer eu desenho um sol amarelo. E com cinco ou seis retas é fácil fazer um castelo...*" *Aquarela* ficou conhecida nas vozes de Toquinho e Vinicius de Moraes, ambos compositores desta obra com Guido Morra e Maurizio Fabrizio.

Neste livro, gostaria de poder homenagear todos os autores que divulguei, só que seria um livro à parte. Somente no *site* da LC estão mais de 10 mil conteúdos relacionados a livros. Saiba que, mesmo seu nome não estando aqui, tenho um enorme carinho e gratidão por confiar em mim e na minha equipe, para transportarmos suas obras até os leitores.

Por último, apesar de o Brasil ainda não comemorar a alta que desejamos de novos leitores, podemos dizer que tanto a literatura nacional como a internacional têm evoluído de maneira significativa ao abordar uma série de temas que, anteriormente, foram ignorados.

Essa expansão da narrativa literária reflete um movimento cultural mais amplo em direção à representação de outras vozes. Alguns exemplos: temas LGBTQIAPN+; mulheres negras; racismo e discriminação; inclusão social e desigualdade; violência doméstica e abuso; saúde mental; meio ambiente e sustentabilidade.

A inclusão destes temas enriquece a literatura e permite que ela cumpra um papel mais amplo. Além disso, promover o conhecimento por meio dos livros sempre esteve ligado ao progresso, tanto humano quanto social. Diante do volume rápido e fragmentado de informações na internet, você pode ser um contraponto. Leve, de maneira mais profunda, sua arte, cultura e conhecimento adiante.

Espalhe sem medo a sua mensagem e aprenda a usar a rede social como meio de transporte das suas ideias

Como escritora, *ghost writer*[10] e pessoa apaixonada pelo que faço, tenho o privilégio de testemunhar o poder da escrita para também inspirar e transformar vidas. Infelizmente, sabemos que, por outro lado, deixamos de conhecer novas histórias porque há autores e autoras com medo de publicá-las.

A escritora e pesquisadora Brené Brown nos ensina que a vergonha é um dos maiores obstáculos enfrentados ao compartilhar nossas histórias e ideias. Sentimos medo do julgamento, do fracasso e da rejeição. Mas é importante lembrar: isso não define quem somos. Esta preocupação é apenas uma voz crítica que tenta nos manter seguros em nossa zona de conforto.

10. Aquele que escreve livros em nome de outras pessoas. O nome dele não é revelado ao público.

Todos nós temos algo para contar a partir das nossas experiências que pode tocar e inspirar outras pessoas. Não importa o tamanho ou a natureza da sua mensagem, ela merece ser ouvida. As palavras têm o poder de criar conexões, despertar emoções e fazer a diferença na vida de alguém.

A partir de agora, toda vez que virar a página deste livro, deixe de lado a insegurança. Abra espaço para abraçar seu sonho. Permita-se ser vulnerável e corajoso ao compartilhar suas histórias e ideias com o mundo. Saiba que há um valor imenso em suas palavras, e que ao se expressar, você contribuirá para a nossa literatura.

Parte II

Workbook: construa seu livro

"É claro que, como todo escritor,
tenho a tentação de usar
termos suculentos:
conheço adjetivos esplendorosos,
carnudos substantivos e verbos
tão esguios que atravessam agudos
o ar em vias de ação,
já que palavra é ação,
concordai?"

— Clarice Lispector
(*A hora da estrela*)

06.

Como nasce uma obra extraordinária?

É hora de deixar-se guiar por sentimentos sinceros e assumir seu papel nesta jornada. Pode tecer poesia e prosa, dar vida a personagens ou contar relatos reais. A partir de agora, terá acesso às principais ferramentas para despertar ainda mais as ideias.

Liberte a mente,
imprima criatividade e toque a alma do leitor.

Primeiro, uma pitada de paixão

As obras extraordinárias, como uma joia rara, não se limitam a algo comum ou às etapas básicas de um texto. Elas ultrapassam padrões porque são identificados traços de singularidade. Podem passar despercebidas pelos editores que as deixam de publicar, mas nunca, jamais, por um ávido leitor.

Na Parte II de ***O Livro Secreto do Escritor***, permita-se entrar de cabeça nessa dança das palavras. Escreva, rabisque, faça anotações e explore tudo o que vier à mente.

Eu me joguei. Durante a produção deste livro, estudei e aprendi ainda mais sobre o mercado editorial. Inclusive, surgiram diversas ideias para as minhas próximas publicações. Desliguei o telefone, coloquei músicas para ouvir e me diverti. A escrita precisa ser, no mínimo, prazerosa.

Inspire-se com uma seleção especial
Leia o QR Code ao lado e acesse a minha playlist "Escreva com foco e criatividade" no Spotify.

Depois, é só misturar os ingredientes

De todos os projetos incríveis nos quais tive o privilégio de trabalhar, observei a presença de quatro elementos em comum: criatividade, dedicação, inspiração e paixão. Aprenda a aplicá-los em cada etapa:

1. **Ideia original:** deve ser única e cativante para servir como a base do livro. Sempre que se sentir perdido e precisar de um norte, retome a grande ideia.

2. **Escrita habilidosa:** articule bem as palavras, evite ser prolixo[11]. Construa personagens e cenários com clareza e fluidez – você não estará ao lado do leitor para explicar cada detalhe do mundo que criou.

3. **Emoção e sentimento:** é sobre se conectar com o leitor o suficiente para fazê-lo rir, chorar ou refletir.

4. **Revisão e edição:** tenha paciência para polir a narrativa e a gramática. Um erro comum é trabalharmos com prazos impossíveis de cumprir. Lembre-se: você é um ser humano, não uma máquina.

5. **Foco e perseverança:** esteja disposto a enfrentar desafios e a superar obstáculos ao longo da jornada. Você terá vontade de desistir e procrastinar. Cuidado com a autossabotagem!

6. **Leitura e pesquisa:** explore outros títulos e estudos para trazer ainda mais autenticidade ao projeto. Porém, tenha cuidado com o plágio. Inspirar-se é diferente de copiar.

7. **Amor pela profissão:** sem ele, será difícil. Todos percebemos a importância disso no dia a dia. Seja no preparo de uma comida ou no atendimento em uma loja, nos conectamos ao que é entregue com carinho. E não se engane: os leitores mais atentos percebem.

Na prática: prepare-se para vivenciar os sete itens (e muitos mais) neste workbook. Antes de a obra chegar ao leitor, ela passa por importantes processos, que vão dos ajustes feitos pelo próprio autor até a aprovação do arquivo para impressão. Infelizmente, vejo muitos pularem algumas fases pela pressa em publicar.

11. É quem usa palavras demais para expressar uma ideia; que não sabe sintetizar.

Ah, depois da diagramação, também faça mais uma checagem. Chamamos de revisão de prova do livro antes de ir para a gráfica. Hifenização e alguns erros podem passar por despercebido pelo diagramador e/ou revisor.

Etapas essenciais na produção do livro

O escritor tá ON!

Planeje a publicação do livro. Por mais que deseje evitar imprevistos, eles acontecem. Ter tempo hábil para resolvê-los com calma é essencial, até mesmo para você não testar demais o coração.

Mão na massa! Use o espaço abaixo para montar um cronograma inicial do projeto. Defina em qual mês começará e quando pretende publicar a obra. Escreva também por que deseja transformar esse sonho em realidade.

"Triplique o número de ideias que você tem. Assim como os grandes jogadores de beisebol só acertam a bola a cada três tentativas de rebatê-la, todos os inovadores tentam e erram. A melhor forma de ***fortalecer*** *sua originalidade é produzir mais ideias"*

Adam Grant (Originais)

07.

Tudo começa com uma grande ideia

Desenvolver os temas de um livro e ser original em meio a tantas publicações semelhantes é desafiador. Neste capítulo, há diferentes técnicas para estimular a criatividade e ajudá-lo a identificar maneiras inovadoras de abordar assuntos comuns. Saiba a importância de percorrer suas paixões e seus interesses, como pesquisar tendências e reconhecer o público-alvo.

Qual a grande ideia do seu livro?

Convido você a plantar sementes de criatividade e deixar a jornada pelo mundo da escrita florescer. Sei que, para muitos autores, as ideias chegam a todo instante. Elas estão no caderno, no celular, no bloco de notas, em *post-its* espalhados pelas paredes da casa, em mensagens, *links*, áudios no WhatsApp...

O bom é que a inventividade não precisa marcar hora. Seja assistindo a um filme ou ouvindo uma música, está lá o personagem do novo livro querendo aparecer, não é mesmo? Comigo também é assim. A minha mente não para!

Se isso ainda não acontece com você, fique tranquilo. Até o fim deste capítulo, irá destravar e ter um mundo de ideias à disposição. Mas acredite: este será o menor dos problemas...

A escolha do tema central, que deveria ser um momento produtivo e feliz de criação, pode se tornar um pesadelo. Em uma época com tantas publicações semelhantes e a saturação da literatura com propostas recicladas, destacar-se e oferecer algo inédito aos leitores são desafios inspiradores.

Observo que a falta de conhecimento no tema escolhido é o motivo das sacadas não serem tão extraordinárias como poderiam. Elas seriam melhores se o autor tivesse dedicado mais tempo às pesquisas.

Há anos recebo mensagens assim: “Lilian, dá uma olhada nessa ideia incrível que tive para o meu livro. Quero muito a sua opinião!”.

Antes de responder, lembro-me de todas as lições aprendidas com meus colegas editores. A principal é devolver ao autor perguntas provocativas para ele mesmo encontrar as respostas e se sentir mais seguro com o projeto.

Recomendo buscar *feedbacks.* Os seguros de si podem até dizer que não precisam de outras opiniões, mas isso só dura até o livro ser publicado e receber a primeira crítica. O juiz, neste caso, é o leitor. Os escritores mais focados tendem a ser os mais abertos às mudanças, isso porque o dono da escrita não é mais o ego, e sim a preocupação para a mensagem chegar ao leitor sem distorção, repetição ou outras falhas. Até os autores com mais experiência buscam com frequência a avaliação e a opinião de editores. *Best-sellers* premiados, celebridades e influenciadores se sentem ainda mais cobrados, pode apostar!

Por isso, mesmo com total segurança das suas ideias, faça o exercício adiante e saiba como elas podem ser melhoradas e potencializadas para não correr o risco de a publicação ser igual a tantas outras.

Sim, ser original dá trabalho.

A verdade é que o editor nunca sabe de onde ou de quem virá a próxima grande ideia. No entanto, espera-se por ela a todo instante. Pode ser algo tão inesperado como a onda dos livros de colorir, como um livro de autoajuda que propõe madrugarmos todo dia[12] *para ter êxito ou a riqueza cultural literária que chegou pelas vozes das personagens Bibiana e Belonísia*[13].

É fácil notar um texto que carrega a alma e a voz do autor, ainda mais quando ele escreve sobre os temas pelos quais tem entusiasmo e fascínio.

---

12. Referência ao *best-seller O milagre da manhã*, do autor Hal Elrod.
13. Personagens do premiado *best-seller* nacional *Torto Arado*, de Itamar Vieira Junior.

Não importa a categoria literária, a paixão pelo conteúdo precisa estar incorporada à escrita.

Apenas ao escrever esta obra é que percebi o quão profundo meu estado emocional interfere em minhas palavras. Todo mundo sabe: lindas músicas também foram desenvolvidas em momentos difíceis da carreira do compositor.

Enxergamos conflitos humanos mesmo nas fantasias mais irreais. Lembro-me de quando pesquisei a história de Franz Kafka e pude compreender melhor as entrelinhas das obras dele. Isso não quer dizer que, numa ficção, as dores dos personagens são as do escritor, mas eles têm, no mínimo, as vivências dele.

Se pulou a Parte I do livro e veio direto para cá, tudo bem, mas recomendo voltar às primeiras páginas. Você perceberá como descrevi a minha jornada em uma potência vibracional alta. Sabe por quê? Por se tratar de algo pessoal.

Pode ter certeza de que quando o editor lhe disser "Este livro é inspirador!", você conseguiu! Respire, grite! Se a obra é boa, perdemos o fôlego e recomendamos como um decreto:

"V.O.C.Ê P.R.E.C.I.S.A L.E.R E.S.T.E L.I.V.R.O!"

Quando isso acontece, quem indicou nem sequer ousa contar muito a história para evitar os *spoilers*. Só o fato de recomendar com ênfase já basta.

Sugiro tirar um momento para refletir: quais assuntos mais gosta de ouvir, falar e escrever? Permita-se mergulhar nessas áreas de interesse e deixe a imaginação correr solta.

Ao escrever sobre o que o inspira, você transmitirá uma energia contagiante aos leitores. Eles serão capazes de sentir a dedicação ao texto. E assim, sem pretensão, recordamos as leituras mais emocionantes de nossas vidas.

O escritor tá ON!

Quer ver na prática como uma grande ideia pode gerar ainda mais proximidade com os leitores? Entre no *site* da Amazon e leia as avaliações de livros semelhantes ao seu. Observe os elogios e as críticas. Isso vai ajudá-lo a trabalhar com mais atenção ao público-alvo. Anote o que precisa desenvolver para a mensagem despertar tais reflexões, ensinamentos, curiosidades, aprendizados e/ou descobertas.

Pesquise as tendências de mercado

Os leitores estão sempre em busca de novidades. Pesquisar as categorias, os assuntos populares, analisar os livros mais vendidos e que têm chamado a atenção da mídia podem trazer percepções valiosas. As redes sociais e os veículos de comunicação (jornais, revistas, rádios...) são grandes termômetros das pautas mais comentadas no momento.

Já ouviu falar do Google Trends? Esta ferramenta permite acompanhar como são as buscas dos usuários *on-line* por determinadas palavras-chave. Por isso, é o recurso ideal para saber o posicionamento da sua ideia no mercado e se ela agrada a um grande público.

Ao mesmo tempo, não se trata apenas de seguir tendências às cegas, combinado?

Leitor: o receptor das ideias

Não espere o momento certo para começar.

Anos atrás, ficava incomodada se alguém questionava o porquê de ter iniciado o meu curso **Escritores Admiráveis** com o módulo de autoconhecimento. Fui pioneira neste aspecto. Na época, em 2020, meus sócios também ficaram desconfiados. Hoje, após receber inúmeros depoimentos de alunos, tenho a certeza da importância destes estudos e exercícios para a formação do autor contemporâneo que não escreve só por escrever, mas sim por ter um propósito.

Diferente da escrita terapêutica[14], é preciso entender que a concepção da obra muda ao pensarmos no leitor quando o projeto ainda é um embrião.

No dia a dia da minha agência, é comum esbarrar em textos que misturam muitas ideias em um único livro. **Por não ter pensado no público-alvo antes de escrever, uma mentorada começou o texto utilizando uma linguagem lúdica infantil e seguiu com reflexões mais pertinentes aos adolescentes.** A solução foi dividirmos os temas e, assim, dois livros surgiram, cada um adequado a uma faixa etária.

Trata-se de um erro comum e fácil de cometer, pois é natural escritores acreditarem que uma obra serve a todos os públicos, mas nunca diga *"ela é universal"* para um editor ou agente literário. Nem a Bíblia[15], o livro mais vendido no mundo, é. Segmentar[16] é bom e não vai fazê-lo ter menos leitores, pelo contrário.

14. É como chamamos o ato de escrever para si mesmo com o objetivo de colocar os sentimentos para fora e organizar os pensamentos. Escrever um diário é a forma de escrita terapêutica mais comum.

15. Existem várias versões da Bíblia no mundo, incluindo a hebraica (Tanakh), a católica, a protestante e a ortodoxa. Além disso, há traduções em diferentes idiomas, edições especiais com estudos e notas comentadas.

16. Usado como um jargão no *marketing*, é o que chamamos de separação do público total em partes. O mais simples é usar as características de gênero e idade, mas é importante pensar nos segmentos por região, classe social, escolaridade, entre outros aspectos.

Agora pense em quem são os potenciais leitores do seu livro, a faixa etária deles, quais são os seus interesses, as preferências literárias e até mesmo o que buscam. Ao conhecê-los bem, você será capaz de direcionar a escrita de forma mais eficaz para gerar uma conexão genuína.

Não se trata de escrever apenas para agradar, mas de entender o que eles valorizam e encontrar maneiras de entregar uma experiência literária única e satisfatória. Assim, terá mais chances de ter sua obra sempre bem recomendada.

Escrever para ser lido exige comprometimento, como ensina o mestre Stephen King[17] no livro *Sobre a Escrita – A Arte em Memórias*:

> *Você pode encarar o ato de escrever com nervosismo, animação, esperança ou até desespero – aquele sentimento de que nunca será possível pôr na página tudo o que está em seu coração e em sua mente. Você pode ficar com os punhos cerrados e os olhos apertados, pronto para quebrar tudo e dar nome aos bois. Pode ser que você queira que uma garota se case com você, ou deseje mudar o mundo. Encare a escrita como quiser, menos levianamente. Deixe-me repetir:* ***não encare a página em branco de maneira leviana.***

17. Stephen King é um premiado escritor norte-americano de terror, ficção sobrenatural, suspense, ficção científica e fantasia. Escreveu mais de 60 livros, e alguns deram origem a adaptações de sucesso, tanto para o cinema quanto para a televisão. Com mais de 400 milhões de cópias vendidas, está entre os escritores mais traduzidos do mundo.

Não estou pedindo que você comece com reverência ou sem questionamentos. Não estou pedindo que você seja politicamente correto ou deixe de lado seu senso de humor (Deus queira que você tenha um). Isso não é concurso de popularidade, nem os Jogos Olímpicos da moral, nem a Igreja. Mas é a escrita, cacete, não é lavar o carro ou passar delineador. Se você levá-la a sério, podemos conversar. Se você não puder ou não quiser, é hora de fechar o livro e ir fazer outra coisa.
Lavar o carro, talvez.

Hora de explorar novas perspectivas

Quando se trata de desenvolver um tema original, é importante pensar além do óbvio. Muitas vezes, as melhores ideias surgem quando saímos do senso comum. O consumidor procura o tempo todo por diferentes experiências literárias.

Por outro lado, há quem atribua o preço do livro como o único motivo pela falta de leitores no Brasil. A 5ª edição da pesquisa *Retratos da Leitura no Brasil*[18], realizada pelo Instituto Pró-Livro (IPL), Itaú Cultural e Ibope Inteligência, em 2021, indica que devemos levar em consideração outros fatores. Veja abaixo um recorte do capítulo "Barreiras para leitura" para analisarmos:

18. A pesquisa Retratos da Leitura no Brasil é realizada pelo Instituto Pró Livro (IPL), desde 2007, com o apoio e o patrocínio das mantenedoras: Abrelivros, da CBL e do Snel. A 5ª edição, de 2019 (lançada em 2020), contou com a parceria do Itaú Cultural. Esta iniciativa privada, que foi encomendada e aplicada pelo Ibope Inteligência, possibilitou a ampliação de 5 mil para 8 mil entrevistas com amostras por todas as capitais do Brasil. A versão impressa do livro *Retratos da Leitura*, foi publicada em parceria com a editora Sextante. Você também encontra todas as edições e esta pesquisa citada aqui completa no *site* https://www.prolivro.org.br/pesquisas-e-projetos-ipl/livros-retratos-da-leitura/.

> Razão para não ter lido mais **entre os leitores**

Base: Leitores 2015 (2.798) / 2019 (4.270)

Por que não leu mais? (%)

> O que gosta de fazer em seu tempo livre
(% de sempre)

Base: Amostra: 2007 (5.012) / 2011 (5.012) / 2015 (5.012) / 2019 (8.076)
P.08) Quais das atividades que eu vou ler o(a) sr.(a.) realiza no seu tempo livre? O(a) sr.(a.)________ sempre, às vezes ou nunca?

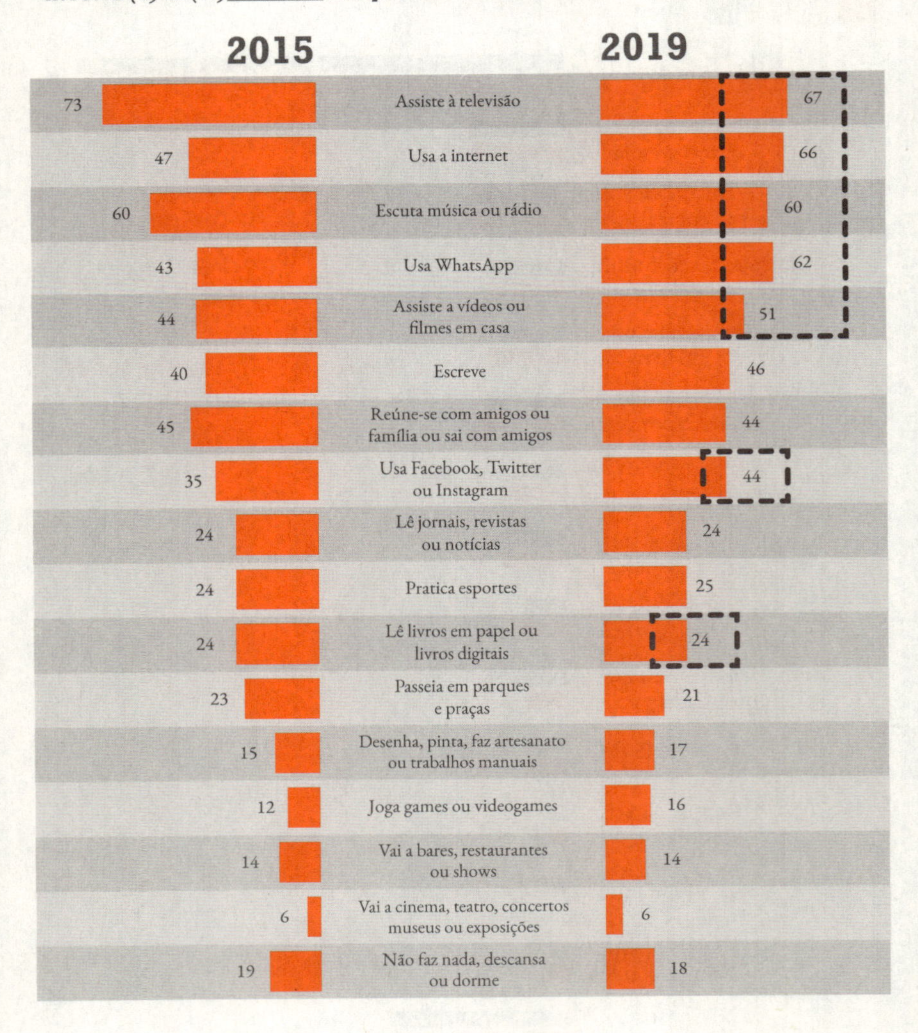

Os resultados desta outra parte da pesquisa também apontam que apenas 24% dos participantes mencionaram a leitura de livros como uma atividade realizada no tempo livre. As opções mais citadas foram: acessar a internet; usar o WhatsApp; usar o Facebook, Twitter ou Instagram; assistir à televisão; escutar música ou rádio; ver vídeos ou filmes em casa; escrever; reunir-se ou sair com amigos ou família; praticar esportes; ler jornais, revistas ou notícias. Isso indica que a tecnologia e o entretenimento digital surgem como opções mais atraentes e imediatas para muitas pessoas em detrimento dos livros.

A maior objeção do leitor ao comprar um livro nem sempre é financeira, pode ser falta de tempo a ser dedicado à leitura. Esta pesquisa reforça a necessidade de estarmos mais presentes não somente nas redes sociais para atrair esse público, mas também nos diferentes espaços da nossa sociedade (teatros, escolas, praças, feiras etc.). **Ou seja, temos de ir ao encontro dos futuros leitores.**

Lembre-se: o TEMPO do leitor é o que precisa ser conquistado.

Ironicamente, é preciso TEMPO para chegar até ele e engajá-lo.

Por isso, quanto antes começar, MELHOR.

Você pode se perguntar: "Mas o que estes dados têm a ver com a ideia do meu livro?".

Tudo! Seu livro disputará por tempo com as cativantes séries da Netflix, com os insistentes algoritmos das redes sociais, com a comodidade dos portais e blogs da internet, com os necessários veículos de imprensa, com os viciantes jogos de celular, entre muitos outros entretenimentos que entregam dopamina com pouco ou nenhum esforço intelectual. Para vencer essa batalha diária por atenção, seu livro precisa ser indispensável! Ele precisa gerar valor para o leitor de forma que suas palavras fiquem impregnadas na sua mente. A única forma de fazer isso é tendo uma GRANDE ideia original.

Pergunte-se e responda com sinceridade durante a elaboração do livro: "E se os papéis dos personagens fossem invertidos?", "E se o cenário fosse em um futuro distópico?", "E se a história de amor fosse ambientada em um filme de terror?", "E se a minha obra dialogasse mais com meus leitores por meio de pesquisas interativas?", "Posso convidar outros profissionais da área para dar um ponto de vista e deixar o enredo ainda mais plural?".

Ao desafiar sua criatividade, pode descobrir conceitos únicos e emocionantes que cativarão os leitores. Mas, para tal, é preciso sair da zona de conforto.

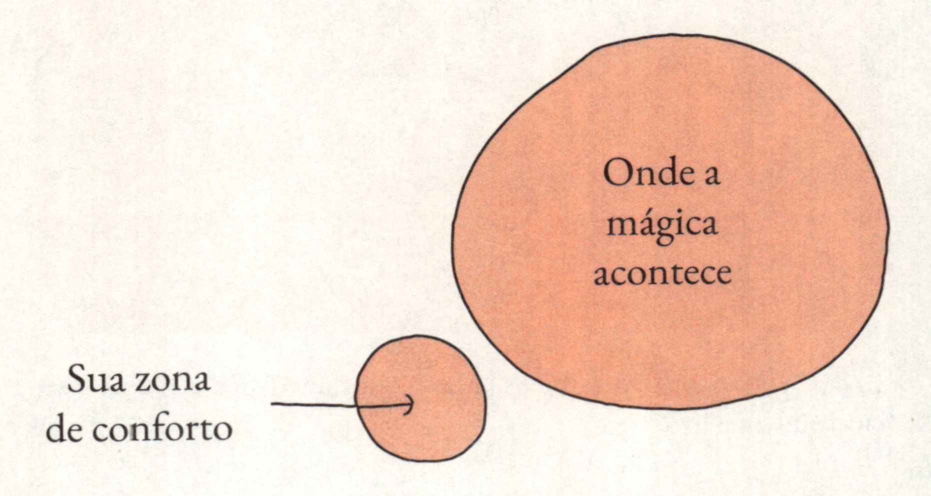

Brainstorming[19] e anotações para um oceano de possibilidades

O que mais gosto de fazer com minha equipe é trabalhar em um novo projeto. No começo, todos ficam com vergonha de falar o que vem à mente, então fazemos um *brainstorming* para que as trocas aconteçam. É sempre mais fácil de se expressar quando estamos num espaço seguro e livre de julgamentos.

Quando alguém traz algo que, à primeira vista, parece sem sentido, não significa que seja uma ideia ruim. Pode apenas precisar de uma lapidação ou ser adaptada por outro colega. Já fica de lição: a primeira sacada tem o potencial de ser um ponto de partida para outras.

Isso é mais difícil para o escritor independente, sem um editor ou um amigo para apontar as falhas no projeto. Para piorar, ainda nos deparamos com profissionais (se é que dá para chamá-los assim) que atuam na produção do livro, mas pouco se importam com a qualidade. Já ouvi deles, e me doeu: "O autor estava com pressa, foi o que deu pra fazer". Isso me deixa muito chateada!

Busque ajuda, críticas e conselhos de
profissionais experientes no mercado do livro

Nas grandes casas editoriais com as quais trabalhei, o time de *marketing* esteve sempre junto ao editorial, acompanhando o projeto do início ao fim, ou seja, da concepção à divulgação.

---

19. Em português, "tempestade de ideias". É uma técnica simples em que os participantes de uma reunião dão ideias ou soluções para um tema específico. É importante que as pessoas se sintam à vontade para falar qualquer coisa, mesmo quando parece absurdo.

Na prática: dedique um tempo para explorar diferentes conteúdos, fazer listas ou mapas mentais. Permita-se vagar por um oceano de possibilidades e registre todas as ideias que surgirem, mesmo se parecerem estranhas ou improváveis. O objetivo é gerar muitas inspirações para depois selecionar e refinar as melhores.

Mas por que algumas ideias dão tão certo e outras não atraem leitores?

Durante o primeiro curso que fiz de *copywriting*[20], com o professor Marcelo Braggion, ele indicou o livro *Ideias que colam – por que algumas ideias pegam e outras não*, dos irmãos Chip e Dan Heath. Desde que o li, minha escrita evoluiu muito, assim como a criatividade. Pude ajudar ainda mais os meus alunos a melhorarem, principalmente com os títulos dos livros.

Recomendo a leitura. Para facilitar, compartilho abaixo os princípios abordados a partir das minhas associações com o mundo literário.

1. Simplicidade (essencial e compacto)

A simplicidade não significa brevidade ou superficialidade. No livro, os autores apresentam inúmeros exemplos de ideias que vão direto ao "xis" da questão. No jornalismo, seria bem ao contrário do famoso "nariz de cera"[21].

Vivemos em um mundo cheio de informações e distrações capazes de dificultar ainda mais a tarefa de prender a atenção. É por isso que a simplicidade é tão poderosa: ela nos permite transmitir conceitos complexos de

20. Também conhecido como escrita persuasiva, é uma técnica para produzir textos com o objetivo de induzir a pessoa a comprar algo, praticar uma ação ou consumir determinado conteúdo.

21. Jargão jornalístico utilizado quando um texto apresenta uma introdução vaga, que atrasa a entrada no assunto específico. Ou seja, é a conhecida prática de "enrolar" com informações desnecessárias para a compreensão, em vez de ir direto ao ponto. Bem diferente também de uma boa descrição literária.

maneira envolvente, torna nossas mensagens mais claras e acessíveis, além de facilitar a compreensão do público e capturar o interesse das pessoas.

Um bom exemplo de escritor que usa uma linguagem acessível para contar histórias é Laurentino Gomes[22]. Com intensa e cuidadosa pesquisa, conquistou a todos já na primeira publicação, *1808 - Como uma rainha enlouquecida, um príncipe medroso e uma corte corrupta enganaram Napoleão e mudaram a História de Portugal e do Brasil*. Perceba como no título da obra o autor já entrega aos leitores a proposta do projeto.

Na Prática: observe como os *best-sellers* têm uma comunicação clara para chegar ao maior número de leitores possível.

Lembre-se, menos é mais. Ao dominar a simplicidade, você estará preparado para criar conexões poderosas e fazer com que suas ideias sejam absorvidas.

2. Surpresa (desperte atenção e crie um mistério)

Uma ideia só se torna marcante se surpreender as pessoas. Então, vá além das expectativas para despertar o interesse e a curiosidade. Uma dica, já praticada por muitos escritores, é criar lacunas no conhecimento do público e, em seguida, preenchê-las.

Você não precisa revelar tudo logo de cara. O poder da surpresa reside na quebra de expectativas, pois o cérebro humano é programado para reconhecer e se adaptar a padrões úteis de sobrevivência. Para que uma ideia cole, ela precisa ser inesperada e capturar a atenção.

---

22. José Laurentino Gomes é jornalista e autor da trilogia *best-seller Escravidão* e dos livros *1808, 1822* e *1889*. Sete vezes ganhador do Prêmio Jabuti, suas obras já venderam mais de 3,5 milhões de exemplares.

Na prática: muitos autores utilizam a técnica *Show, don't tell*[23] (na tradução, "mostre, não conte"). Identifique-a em suas leituras e experimente também usá-la nos textos. Faça o leitor ter os próprios sentimentos e pensamentos sobre um determinado diálogo ou narração. Isso só será possível se você não revelar tudo. Exemplo: não diga que o personagem está prestes a morrer de sede. Narre a boca seca, os sinais de desidratação, o corpo trêmulo e as alucinações provocadas pela falta de água.

3. Concretude (torne a abstração realista)

O terceiro princípio aborda uma questão fundamental: "Como fazer para tornar nossas ideias claras?". Um exemplo concreto: "*O Kindle*[24] *tem tela com tecnologia e-ink, que dispensa a necessidade de retroiluminação do painel para dar mais conforto aos leitores*". Exemplo abstrato que pode não convencer: "*Ler no Kindle é confortável*".

As fábulas são uma boa referência para exemplificar uma história palpável. Perceba como conseguimos nos lembrar dessas narrativas por anos. Isso ocorre porque o cérebro humano tem a habilidade natural de fazer conexões com base em percepções sensoriais e imagens reais. Essa lógica é bastante intuitiva, pois, embora a linguagem seja abstrata, a vida cotidiana é repleta de experiências. Em *Ideias que colam*, os irmãos Heath incluem inúmeros exercícios que nos auxiliam a trazer concretude para o texto.

Costumo falar sempre à minha equipe: "Cuidado com a maldição do conhecimento!". Ou seja, às vezes, pesquisamos tanto um tema que, ao recontá-lo, não queremos detalhar com receio de parecermos óbvios

23. "Mostre, não conte" é uma técnica narrativa usada em vários tipos de textos para descrever a história por meio de ações, palavras, pensamentos e sentimentos, em vez de simplesmente declarar o que ocorre entre as cenas.

24. Leitor digital da Amazon. É menor e mais leve que a maioria dos *tablets*, a bateria dura vários dias e a tela é em preto e branco. Assim como os *e-readers* de outras marcas, como o Kobo e o Lev, o grande diferencial está no fato de a tela ser confortável para a leitura.

ou repetitivos. Porém, este pode ser o primeiro contato do leitor com o assunto. Para termos incomuns, sugiro utilizar notas de rodapé como aliadas se não quisermos ver o leitor recorrer toda hora ao Google – lembre-se, ele pode não voltar à obra!

4. Credibilidade (exemplos, pesquisas, fatos)

Se você for reconhecido como autoridade no tema do livro, ótimo, tire vantagem disso. Se não, pegue-a emprestada. O melhor exemplo é este capítulo. Eu poderia explicar os mesmos conceitos, ou algo adaptado, sem falar onde aprendi. Mas só o fato de mencionar a obra *Ideias que colam,* escrita por um conceituado professor da Universidade de Stanford e de outro pesquisador em Harvard, já torna minha narrativa mais convincente, não acha?

Escritores de não ficção precisam trazer dados e referências para corroborar o que afirmaram na obra. Alguns temas sensíveis, como suicídio, depressão, ansiedade, estresse e outros transtornos da vida moderna requerem, sim, um olhar cuidadoso. Ter um médico ou um psicólogo como coautor, nesses casos, é uma opção a ser considerada.

5. Sentimentos (apele para o interesse pessoal)

Para que as ideias sejam efetivas, aprenda a despertar emoção nas pessoas. Por exemplo, nos pedidos de doações para instituições de caridade, contar a história sofrida de uma criança gera mais empatia com a causa do que falar de todas as beneficiadas.

Qual o poder de associação que você utilizará para dar mais sentimento às suas ideias? Como fará o leitor sentir algo pelo livro?

6. Relatos (histórias reais para gerar conexão)

Contar histórias está presente na humanidade desde os primórdios, como identificado na arte rupestre. Esta habilidade é tão utilizada que existe uma palavra específica para ela no mundo dos negócios e do *marketing*: *storytelling*. James McSill[25], um dos maiores especialistas no assunto, define como "um processo de comunicação intencional, neste caso, por meio da escrita, que utiliza os princípios e estruturas inerentes às histórias para exercer com êxito um poder transformador no leitor, isto é, no receptor/audiência".

James, meu parceiro de cursos e oficinas, explica que, quando entramos em contato com histórias, algumas partes do cérebro são ativadas como se estivéssemos vivendo o que estamos vendo, lendo ou ouvindo. Aqui temos um grande aliado do escritor. Nada como utilizar o recurso para motivar e influenciar pessoas!

Na prática: organize os pensamentos e escreva enredos atraentes que serão conduzidos para a mente do leitor.

Durma com ideias, acorde com seu livro!

Lembre-se de que todo o processo de desenvolvimento na escolha dos temas é uma jornada criativa e emocionante. Permita-se explorar, questionar, experimentar e arriscar. Esteja aberto a novas perspectivas e tenha a coragem de abraçar a originalidade. Embarque neste desafio, confie no próprio potencial e deixe a imaginação voar alto. O mundo literário aguarda novas histórias.

---

25. MCSILL, James. *5 Lições de storytelling: o best-seller*. São Paulo: DVS Editora, 2017, p. 107.

O escritor tá ON!

Use as mídias sociais para validar os temas. Ouça os leitores e não fique com medo de alguém roubar a sua ideia. Analise quais assuntos geraram mais interesse e aproveite para refinar ou acrescentar ao seu projeto literário. Foi desta maneira que vi muitos influenciadores terem novas ideias para criar seus livros.

Caneta na mão! Use os seis princípios de *Ideias que colam* para descrever o tema do seu livro. Se ainda não definiu, tudo bem! Aproveite o espaço e anote inspirações para a próxima obra.

"Felizmente existem os livros. Podemos esquecê-los numa prateleira ou num baú, deixá-los entregues ao pó e às traças, abandoná-los na escuridão das caves, podemos não lhes pôr os olhos em cima nem tocar-lhes durante anos e anos, mas eles não se importam, esperam tranquilamente, fechados sobre si mesmos para que nada do que têm dentro se perca, o momento que sempre chega, aquele dia em que nos perguntamos, Onde estará aquele livro que ensina a cozer os barros, e o livro, finalmente convocado, aparece..."

— José Saramago (A Caverna)

08.

Para quem você vai escrever?

A partir de agora, pensará no leitor ideal antes mesmo de começar o livro. Direcionará melhor a escrita, entenderá as necessidades e preferências literárias dele, além de facilitar todo o processo de divulgação.

"Como seria bom ter escutado isso antes!"

Difícil entender o motivo pelo qual tantos cursos de escrita ignoram o leitor, como se ele fosse um coadjuvante, e não o ator principal. O livro só ganha vida quando é lido. Por que alguém publicaria caso se contentasse em escrever apenas para si mesmo? Aquele que diz "não preciso pensar em *para quem* vou escrever" é, no mínimo, um iludido.

Quando há uma compreensão profunda de quem são os leitores, suas necessidades, desejos e preferências literárias, o escritor pode direcionar a narrativa de forma mais eficaz para criar uma conexão significativa com aqueles que a lerão.

Defina o público-alvo

É hora de ser mais específico. Nada de "homens e mulheres de todas as idades"! Considere termos demográficos: gênero, escolaridade, faixa etária...

Pense em quem vai focar, e não nas exceções. Romances, na maioria das vezes, atraem o público adulto feminino, então mire nestas leitoras.

Não confie apenas em instintos. Pesquise! Hoje, há recursos *on-line*, como o Facebook Insights. Esta ferramenta permite explorar estatísticas por região e interesses para que entenda mais a audiência a ser alcançada no Instagram e Facebook.

Na prática: acesse o Google e pesquise por Facebook Insights[26]. Na página que abrir, clique em "Acessar o Audience Insights". Se você já tiver uma conta no Facebook Business, clique em "Público" no menu esquerdo ou siga as instruções para criar uma conta.

26. Acesse em: https://www.facebook.com/business/insights/tools/audience-insights.

Depois, clique em "Público potencial". Vão aparecer estatísticas de todos que estão no Facebook e Instagram do país da conta. Clique no botão filtrar, à direita, e explore os interesses relacionados ao público. Anote a faixa etária e o gênero que aparecer com maior percentual nos gráficos.

Estude a persona

A persona é voltada ao indivíduo. Pense no perfil ideal, alguém que compraria e leria a obra. Ou melhor, quem a amaria e indicaria a outras pessoas. Inspire-se em um amigo, por exemplo. Imagine a rotina dele, com quem mora, profissão, como chega ao local de trabalho, quais são os comportamentos e os valores que o caracterizam. Reúna todas as informações para ter uma imagem real e detalhada do leitor.

Este simples exercício vai influenciar a escrita. Você pode, por exemplo, imaginar o perfil das pessoas que vão se identificar com o seu personagem. Essa estratégia é observada com facilidade nas telenovelas.

Compreenda a jornada do leitor

Além de conhecer estas características, é indicado compreender o caminho percorrido pelo consumidor até a compra da obra. Isso envolve entender quais canais de comunicação ele utiliza para se manter informado, como ele escolhe os livros e interage nas redes sociais com autoras e autores preferidos.

Considere os diferentes estágios da jornada do leitor, como a descoberta, a decisão de compra, a leitura e o compartilhamento da experiência. Compreendê-los permitirá um melhor desenvolvimento das estratégias de *marketing* e comunicação. Tenha certeza: ao seguir esses passos, o engajamento e a conexão com seus fãs tornam-se consequência.

É fundamental saber os hábitos de consumo literário da persona e entender quais autores e obras a influenciam, tanto dentro quanto fora das redes sociais.

Faça pesquisas de mercado, participe de comunidades *on-line* e de grupos de discussão para obter *insights* valiosos sobre o comportamento do leitor. Esteja presente nas mídias que eles utilizam: *blogs* literários, *podcasts*, resenhas, redes sociais, entre outras.

Não ignore seu leitor

As preferências do público vão mudar com o passar dos anos. Por isso, a pesquisa deve ser contínua. Ao construir uma relação verdadeira, você desenvolverá uma base de leitores que o apreciará e acompanhará como verdadeiros fãs.

Descubra o leitor ideal! Escolha uma pessoa para referência e responda às perguntas a seguir. Tente ser o mais detalhista possível. Afinal, você é escritor, então sei que não economiza palavras.

- Qual é o nome da persona?

____

____

____

____

- Qual a história dela?

- Quais as motivações?

- Quais os sonhos?

- Quais os objetivos?

- Que desafios ela enfrenta?

- Quais preocupações a consomem?

- Que medos e dores essa persona carrega?

- O que lhe traz alegria?

- O que ela faz?

- Quais são seus *hobbies*?

- O que gosta de comprar?

- Quanto e onde gasta?

- A que ela assiste?

- Que tipo de literatura prefere?

- Em qual rede social está mais presente?

- Como o seu projeto pode impactar a vida dela?

"O que a Literatura proporciona ao leitor, só ela o faz, e esse prazer não pode ser confundido com nenhum outro, informação, documentação, crítica. Não fora isso, não fossem a natureza específica da literatura e o prazer que dela retiramos, e as obras literárias não resistiriam ao tempo e às mudanças de civilização e cultura. As obras gregas não despertariam interesse a um leitor moderno; a Divina Comédia não seria amada por um leitor protestante, enquanto o Paraíso Perdido seria repelido por um leitor católico. Por outro lado, a Guerra das Gálias não passaria de um relatório militar não fora o seu cunho literário, e não amaríamos o D. Quixote por causa de sua 'circunstância' social e de momento; Os Sertões poderiam ser substituídos pelos relatórios militares da Campanha de Canudos não tivesse a obra-prima o cunho literário que todos lhe reconhecem."

— Afrânio Coutinho (Notas de teoria literária)

09.

A bússola da escrita

É hora de colocar em prática estratégias de organização, planejamento e desenvolvimento da estrutura do livro. Vamos discutir a importância de um esboço ou esquema, como criar uma linha narrativa consistente e aprimorar a fluidez do texto à medida que avança na jornada. Manter-se no caminho durante o processo é fundamental para evitar se perder.

Se você já sabe qual tipo de narrativa adotará e está seguro com a decisão, pode pular para o próximo capítulo!

A forma como uma história é contada faz toda a diferença na experiência do leitor.

Uma narrativa é a exposição ou o relato de uma sequência de eventos. Podemos basear os episódios em fatos ou criar textos ficcionais. As notícias que lemos em jornais também são narrativas, pois contam a história de uma maneira específica. No mundo literário, esses textos são classificados de acordo com a estrutura. Por exemplo, um romance é uma narrativa mais longa, escrita em prosa, que permite explorar com profundidade os personagens e criar tramas complexas. Já um poema é contado em versos, no qual a linguagem e a musicalidade das palavras são muito importantes.

Conheça os principais gêneros narrativos

Romance: é composto por um enredo, ambientação, personagens definidos, sequência temporal e marcado pela continuidade e pelo desdobramento das ações dos personagens.

Conto: curto e denso, com poucos personagens, e aborda apenas um conflito. A estrutura é bem definida: introdução, desenvolvimento, clímax e desfecho. O espaço e o tempo também são reduzidos.

Novela: caracteriza-se, em geral, pela menor quantidade de personagens que o romance e maiores desdobramentos que os contos. Podemos dizer que é um "meio-termo" entre os dois anteriores.

Crônica: é um texto mais informal que aborda aspectos da vida cotidiana. Muitas vezes, de forma sutil, o cronista denuncia problemas sociais por meio do poder da linguagem.

Fábula: no geral, apresenta personagens na forma de animais e possui um caráter pedagógico, transmitindo noções morais e éticas. Quando os personagens são objetos inanimados, a fábula recebe o nome de apólogo, mas a intenção é a mesma.

Na prática: quando iniciar uma nova leitura, fique atento ao tipo de narrativa escolhida pelo autor. Vai ser interessante notar como isto interfere na experiência do leitor. Que tal reescrever um romance transformando-o em poesia, crônica ou conto?

O escritor tá ON!

As definições de gêneros, subgêneros e categorias literárias estão intimamente ligadas. Por isso, geram dúvidas, em especial naqueles que estão nos primeiros passos da carreira. Gênero é um termo amplo, utilizado para definir grupos ou "tipos" de músicas, filmes, séries e livros com características em comum. Na literatura, os gêneros são aplicados para orientar o leitor em relação ao conteúdo da obra e também para guiar determinados estilos de escrita e forma. A partir deles, surgem as categorias literárias: romance policial, literatura espiritualista, suspense e tantas outras.

Material complementar

Leia o QR Code ao lado e entenda a diferença entre gêneros e categorias literárias.

FILOSOFIA E TEORIA DA LITERATURA

Para quem deseja iniciar os estudos nesse campo, recomendo a leitura das seguintes obras, escritas por dois grandes estudiosos brasileiros da área: *Filosofia e teoria da literatura*, de Afrânio Coutinho[27], e *A Análise Literária*, de Massaud Moisés[28].

A primeira traz gêneros literários aristotélicos (épico, lírico e dramático), além de definições e reflexões sobre o tema. É uma oportunidade também de aprender a natureza da crítica literária e como ela surgiu no Brasil. A segunda, um pouco mais teórica, oferece um roteiro para a compreensão do texto literário.

Linha narrativa

Uma redação consistente vai manter o interesse do leitor. Isso envolve criar uma progressão lógica de eventos, conflitos e um bom desenvolvimento dos personagens. Pense na história como uma jornada e certifique-se de que cada capítulo contribua para o avanço dela.

Analise o que escreveu e verifique se a linha escolhida flui naturalmente. Identifique as lacunas e faça os ajustes necessários para fortalecer a sequência da narrativa.

27. Afrânio Coutinho nasceu em Salvador, Bahia (1911) e faleceu no Rio de Janeiro (2000). Foi membro da Academia Brasileira de Letras durante 38 anos, de 1962 a 2000. Toda a biografia e a bibliografia do autor estão registradas no *site* da Academia Brasileiras de Letras: www.academia.org.br.

28. Massaud Moisés foi professor titular na USP até 1995 e ocupou a cadeira 17 da Academia Paulista de Letras. Desenvolveu inúmeros artigos e obras de teoria literária, língua portuguesa e literatura brasileira.

Aprimore a fluidez do texto

À medida que avança na redação, observe o fluxo textual para aprimorar a transição entre os capítulos, parágrafos e frases. Utilize técnicas de escrita, como conectores, palavras de transição e estruturas gramaticais coerentes, para garantir uma leitura agradável.

Releia tudo e identifique possíveis pontos de melhoria, como transições abruptas e inexplicadas ou quebras na narrativa. Observe se deixou de fazer alguma referência, principalmente em livros de não ficção.

#dicadalilian: nos projetos de não ficção em que trabalhei como *ghost writer*, o que mais facilitou foi manter a organização logo no início dos capítulos, bem como as pesquisas, a separação prévia dos trechos de referências e as entrevistas. Já com os de ficção, sem dúvida, fazer um mapa mental dos personagens ajudou a não perder a conexão com nenhum ponto da história. Lembro-me de um projeto no qual cada capítulo começava com a voz de um dos personagens. Desenhar todas as características deles, o jeito como falavam e os costumes tornou a narrativa muito particular. Este recurso, por exemplo, aprendi com *Uma longa queda*, de Nick Hornby.

Escrever agora faz parte do dia a dia!

Trago lições do livro *Sobre a Escrita*, de Stephen King, porque uma rotina bem estabelecida é fundamental. Você pode até ter feito seu primeiro projeto às pressas, mas saiba que há como seguir de maneira mais planejada. Aproveite as dicas:

- **Siga uma rotina:** King enfatiza a importância de escrever diariamente para aprimorar as habilidades e manter o ritmo. Reserve um tempo específico para se dedicar à escrita, mesmo que sejam apenas 30 minutos.
- **Defina metas alcançáveis:** o autor costuma redigir cerca de dez páginas por dia. No entanto, o mais importante é encontrar um objetivo que funcione para você. Algumas pessoas conseguem produzir mais, outras menos, o importante é ser constante. Stephen diz que, ao entrar no local onde você escreve e fechar a porta, a meta diária já deve estar estabelecida.
- **Tire uma folga:** nada mais que 24 horas ou você perderá a energia e o entusiasmo. Descanso é importante, mas não em excesso.
- **Encontre um espaço tranquilo:** busque um lugar onde possa focar sem interrupções e distrações. Ter um local apropriado ajuda a entrar no "modo escritor" com mais facilidade. Desconectar-se das redes sociais, em especial do WhatsApp, é a minha dica. Funcionou demais para mim (mas confesso que, no começo, foi difícil. Insista!).
- **Escreva o que você ama:** concentre-se em temas que o interessem de verdade. Stephen King é conhecido pela paixão por histórias de terror e suspense, o que transparece em seus trabalhos.
- **Leia mais:** use o máximo de tempo possível para praticar a leitura, seja enquanto faz exercício na academia ou antes de dormir.

- **Abandone os advérbios:** o autor condena as palavras que terminam em "mente" (firmemente, principalmente, claramente...). Sugiro o bom senso, pois o próprio King usa advérbios quando necessário. Nada de ficar neurótico! Importante é sua mensagem também fazer sentido. A dica da nossa atenta revisora Bárbara Parente é buscar alternativas para o texto ficar mais leve, no caso dos advérbios, tente trocar alguns, por exemplo, por adjetivos.

- **Persistência é fundamental:** Stephen foi rejeitado várias vezes até ser publicado. Não desanime com as dificuldades e continue a se aprimorar.

Lembre-se de que vai encontrar o próprio estilo, e tudo bem se levar um tempo. Aproveite essas dicas baseadas nas lições do mestre King para desenvolver uma rotina. Pratique, mas, acima de tudo, divirta-se! Escrever é uma arte.

A Jornada do Herói

Muitos títulos seguem um certo padrão no arco da narrativa, ou seja, no desenvolvimento da história. Isso se deu graças aos estudos de Joseph Campbell[29], que apresentou pela primeira vez a Jornada do Herói na obra *O Herói de Mil Faces.* E não há nada de errado em usar essa estrutura, que funciona como uma espécie de "fórmula", para guiar a escrita. Ela deu certo, por exemplo, em sagas como as de *Harry Potter*, *O Senhor dos Anéis* e *Star Wars*.

No livro *A Jornada do Escritor: estrutura mítica para escritores,* o roteirista Christopher Vogler[30] detalha como desenvolver cada uma das etapas.

---

29. Joseph Campbell foi um mitologista, escritor e professor. Publicou o livro *O Herói de Mil Faces,* em 1949, que discute a teoria da Jornada do Herói.

30. Christopher Vogler é um roteirista de Hollywood e trabalhou para estúdios famosos, como Disney e Warner Bros.

Em resumo, o personagem principal será chamado para uma aventura, conhecerá o mentor, enfrentará inimigos e inseguranças, vencerá e voltará para o estado de paz e tranquilidade que tinha no início da história, mas com um aprendizado ou uma maturidade maior.

Observe a seguir como Vogler adaptou o conteúdo de Campbell:

1. Mundo Comum
2. Chamado à Aventura
3. Recusa do Chamado
4. Encontro com o Mentor
5. Travessia do Primeiro Limiar
6. Testes, Aliados, Inimigos
7. Aproximação da Caverna Oculta
8. Provação
9. Recompensa
10. Caminho de Volta
11. Ressurreição
12. Retorno com o Elixir

Como o próprio autor diz, nada de ficar preso a esta estrutura. Saiba que a história não será menos original só porque a usou – a aventura, o chamado à ação, o mentor, tudo é diferente em cada narrativa. A Disney é um exemplo de companhia que usa este método para encantar e faturar milhões com produções cinematográficas, surpreendendo os fãs a cada lançamento.

Uma das vantagens de usar esta técnica é que ela conectará todos os acontecimentos e, assim, diminuirá as chances de possíveis pontas soltas no enredo.

A jornada do herói

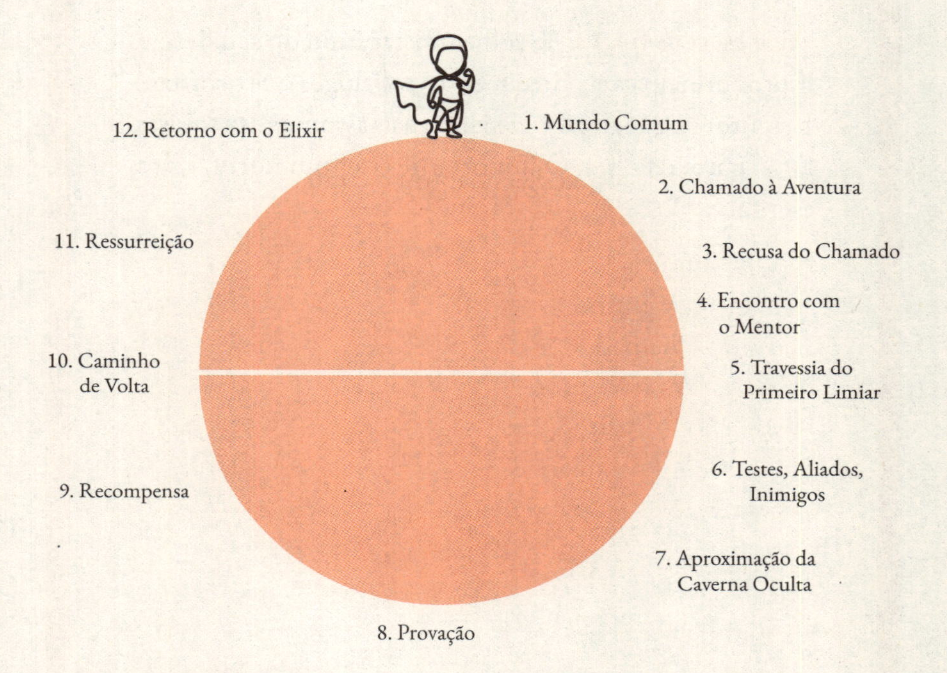

#dicadalilian: o método é usado também no *marketing* e nas redes sociais. Utilize a técnica de contar histórias para se apresentar aos leitores e, claro, falar do livro. Qual a jornada do personagem? E por que não narrar a sua?

Você escreve ficção? Escolha um capítulo do seu livro e liste os principais acontecimentos e diálogos que ocorrem. É escritor de não ficção? Detalhe quais assuntos e pesquisas farão parte da obra. O importante é ter um norte para a escrita.

"Na sua pele, sinto cheiro de tinta e suor.

Foram madrugadas para esculpir.

As curvas finalmente ficaram serenas.

Agora ela está pronta para partir: a obra."

— Lilian Cardoso e seus devaneios em busca da frase perfeita para abrir este capítulo. Leu tantas e nada quis. Tomou posse das palavras e, assim, decidiu dividir.

10.

O corpo do texto: construa uma narrativa envolvente

Tão temido pelos autores e autoras, chegou o momento de abordar os quesitos essenciais para uma boa revisão e edição, que vão aprimorar, ainda mais, a qualidade da obra. Mantenha coesão, progressão e lógica textual para fascinar os leitores. Nada de ficar com receio de alguém mexer no texto, combinado? Quanto mais olhares, menos erros.

Depois que o livro é vendido, há outro desafio: fazer o leitor lê-lo de ponta a ponta.

"Caramba, como é difícil!", aposto que pensou assim.

Calma, respire fundo, porque você vai aprender, até o final deste capítulo, técnicas textuais que farão o leitor se desconectar do mundo para ler o seu livro.

Introdução que conecta

Este é o momento ideal para convidar o leitor a embarcar na jornada literária que você propõe. O desafio é falar pouco e contar muito (trazer as partes-chave), e instigá-lo a continuar com você até o final da obra.

Não falei que seria fácil, mas vou provar que o processo, apesar de detalhado, é simples!

As primeiras palavras têm de entregar valor a quem está prestes a se engajar em uma longa leitura.

Na prática: se tem um romance emocionante, a introdução pode ser mais poética e romântica. Já o suspense, tende a ser mais misterioso e intrigante. O importante é encontrar o tom correto e que seja consistente com o estilo e a categoria do livro. Assim, quem estiver lendo saberá o que esperar e se sentirá conectado com a proposta da obra. E cuidado para não exagerar e acabar prometendo o que não vai entregar.

É muito comum encontrarmos na introdução de romances de época, por exemplo, a descrição dos cenários, o contexto social e político no qual o personagem está inserido, tudo para despertar o interesse de saber mais sobre aquele determinado período.

Fazer um resumo, a sinopse e a introdução podem gerar um pânico pela falta de habilidade em sintetizar a mensagem que deseja passar. Para textos mais concisos, tenha ainda mais dedicação.

Outra técnica poderosa para despertar o interesse desde as primeiras linhas é utilizar frases impactantes, perguntas curiosas ou levantar uma situação enigmática. Por exemplo:

"Nos confins daquela empresa multimilionária, uma tarefa inusitada foi lançada à *headhunter* Helena, desencadeando uma busca por algo mais do que talentos profissionais."

"Cansei de ser chefe daquele homem sem escrúpulos."

"Afinal, Jesus Cristo foi mesmo um homem tão bom?"

Frases como estas despertam a curiosidade do leitor e o motivam a descobrir as respostas ou desvendar os mistérios apresentados.

Melhor ainda é quando o título traz uma provocação com uma linha de pensamento que vai gerar uma reviravolta na história. Difícil conhecer um leitor que não goste de um bom *plot twist*[31].

Não esqueça: dedique-se na hora de escrever a introdução, pois é nela que você estabelecerá a primeira conexão com o público.

31. Termo em inglês que significa "reviravolta no enredo".

Capítulos e tudo sobre o desenvolvimento da obra

Ao embarcar nesta jornada, uma das principais preocupações de todo autor é criar uma estrutura sólida para manter a coesão entre os capítulos e garantir a progressão lógica da história.

Uma forma para não se perder durante a escrita é delinear um plano ou esboço de todas as partes da obra. Isso permitirá que você tenha uma visão geral da estrutura do texto.

Para ficção, por exemplo, sugiro, nesses esboços, destacar os principais eventos da trama, definir os conflitos e estabelecer a evolução dos personagens. Para não ficção, a sugestão é organizar de acordo com os tópicos que serão abordados, criando uma sequência para a apresentação das informações.

Ao desenvolver os capítulos, evite desvios desnecessários capazes de distrair a leitura. Dedique-se à criação de personagens com características distintas e motivações claras. Conflitos pessoais, dilemas morais ou desafios enfrentados no mundo contribuem para a complexidade e o crescimento de cada um deles. Isso os tornará mais reais e proporcionará uma conexão emocional com os leitores. Aproveite o momento também para definir o arco da história.

Considere a inclusão de recursos visuais, como gráficos, tabelas, diagramas ou ilustrações, caso seja apropriado para o livro. Estes elementos podem complementar e enriquecer o texto, bem como tornar a leitura mais dinâmica. Isso vale para todas as categorias literárias.

Lembre-se: ***O Livro Secreto do Escritor*** é seu guia e não uma cartilha que você deve seguir à risca. A arte da escrita é um processo criativo e pessoal. Encontre o próprio ritmo e estilo, experimente diferentes abordagens e confie na sua voz como autor.

Despeça-se em grande estilo

Pode ser óbvio para você, mas preciso explicar para quem vai escrever um livro pela primeira vez: a conclusão é o momento em que a narrativa se aproxima do fim e é essencial deixar uma mensagem relevante.

Recapitule os pontos cruciais da história, destaque os momentos de maior impacto emocional e as reviravoltas significativas. Dessa maneira, será possível relembrar a jornada percorrida e ter uma percepção profunda do conjunto da obra. Sim, o exemplo se encaixa mais para ficção, mas também pode ser utilizado em outras categorias. O desafio é: como você finalizará o texto de forma que as palavras ecoem na mente do leitor quando o livro for fechado?

Amarrando as pontas soltas

Nada é mais frustrante do que ler uma história "Sem pé nem cabeça". Ofereça resoluções adequadas para os conflitos e mistérios apresentados... Se houver subtramas ou personagens secundários, dê um desfecho a cada um.

E isso não tem nada a ver com final feliz.

Até em obras de pura filosofia há uma direção.

Recordo quando a minha filha leu um livro infantil e ficou indignada que a amiga da personagem principal foi até a metade da história, depois sumiu sem explicação. Se não for proposital, pode parecer um furo na narrativa.

Responda: cumpriu com a promessa feita na introdução?

A conclusão do livro não deve ser apenas um breve ponto-final. Ela precisa oferecer um fechamento, mesmo que isso signifique deixar espaço para interpretações. Cito como exemplos o filme *Parasita*, quando termina sem deixar claro se o pai do protagonista sobreviveu, e o belo *plot twist* do livro *Garota Exemplar*, da escritora norte-americana Gillian Flynn. Pode ser ainda um final para aquecer o coração, como em *O Pequeno Príncipe*, de Antoine de Saint-Exupéry.

> *"Olhem atentamente esta paisagem para que estejam certos de reconhecê-la, se viajarem um dia pela África, através do deserto. E se passarem por ali, eu lhes peço que não tenham pressa e esperem um pouco bem debaixo da estrela! Se, de repente, um menino vem ao encontro de vocês, se ele ri, se tem cabelos dourados, se não responde quando é perguntado, adivinharão quem ele é. Façam-me um favor! Não me deixem tão triste: escrevam-me depressa dizendo que ele voltou..."*
> *Antoine de Saint-Exupéry (O Pequeno Príncipe)*

A sinopse: aliada ou adversária?

Sabe aquele texto que você lê como uma breve descrição do filme? Então, o nome dado a este resumo conciso é sinopse. Quando convincente nem pensamos duas vezes e já nos rendemos à ideia do projeto. Agora, se for mal construída, não vai se conectar com o público-alvo.

Na hora de produzi-la, fique atento ao principal objetivo: despertar o interesse do leitor em potencial. Precisa instigá-lo a querer saber mais da história. Uma boa dose de *marketing* deve ser incluída nesta produção, mas cuide para não exagerar nos adjetivos. Cause surpresa e curiosidade para atraí-lo. Senso de urgência também funciona, mas não adianta nada colocar "você precisa ler este livro agora" se não trouxer os porquês.

Se possível, acrescente citações de resenhas positivas de críticos ou de outros autores conhecidos. Infelizmente, muitos autores fazem a sinopse às pressas quando estão prestes a publicar o livro. Você que lê agora, sei que fará diferente e vai caprichar na hora de fazer uma sinopse irresistível.

Revisão e edição: aprimore a qualidade da obra

A edição e a revisão profissionais são etapas INDISPENSÁVEIS para aprimorar a qualidade do texto. Esses especialistas revisarão palavra por palavra em busca de erros gramaticais, de coesão e de consistência, bem como poderão editar a estrutura e o estilo para aprimorar a fluidez da leitura.

Aliás, obrigada a você, revisor, que neste momento está lendo aqui enquanto escrevo pela madrugada. Fique à vontade para aprimorar minha fala[32].

32. Esse é um recado que deixei de surpresa para os revisores. Como ficou divertido, decidimos manter na versão final. Palavras da revisora ao ler a mensagem: [adorei ♥].

O escritor tá ON!

Os *sites* Dicionário Criativo[33] e Sinônimos[34] ajudarão você a encontrar palavras semelhantes e a evitar repetições. Use na hora de refinar o seu texto. O Vocabulário Ortográfico da Língua Portuguesa (Volp)[35] é uma fonte segura para pesquisar se a grafia de uma determinada palavra está correta.

Você também precisa colaborar

Revisar o próprio texto é um passo essencial para aprimorar a qualidade do livro antes de enviá-lo à diagramação. Afinal, uma coisa é o revisor conferir a gramática, os erros de digitação, a repetição de palavras e a parte textual em relação à concordância, ao tempo verbal e a aspectos ortográficos e gramaticais, outra é ter que checar as informações.

Antes de seguirmos, saiba a diferença entre as funções do editor, do preparador de texto e do revisor. Cada um desempenha um papel único:

Editor: supervisiona todo o processo editorial, desde a ideia até a chegada da obra às livrarias. Ele pode atuar como revisor final ou preparador de texto. Auxilia na definição do público-alvo, na criação da estratégia de *marketing* e no projeto gráfico. Este profissional trabalha em colaboração com o autor para assegurar os padrões editoriais e comerciais da editora que o representa. Vale lembrar que em editoras pequenas — como está para a maioria de quem tem reduzida —, as funções se acumulam e são muito mais amplas das exemplificadas aqui.

33. Acesse: https://dicionariocriativo.com.br/

34. Acesse: https://www.sinonimos.com.br/

35. Acesse: https://www.academia.org.br/nossa-lingua/busca-no-vocabulario

Copidesque (ou preparador de texto): garante a clareza, concisão e estruturação da obra. Ele também vai olhar o estilo de escrita, enredo e a organização dos capítulos, além de sugerir o que adicionar ou remover.

Revisor: concentra-se na correção de erros gramaticais e ortográficos, mas também identifica possíveis falhas na estrutura textual. Há profissionais que, além destas correções, avaliam o texto de maneira mais abrangente observando coerência, lógica e fluidez da narrativa.

Quem publica por uma editora pode ficar tranquilo, pois terá todo o suporte da equipe editorial (é o que se espera!). Para o escritor independente, recomenda-se que contrate, pelo menos, um revisor.

O que você deve considerar ao contratar um especialista:

- **Analise o portfólio:** peça para ver trabalhos anteriores do profissional que considera contratar. Avalie o estilo de revisão e edição para saber se está de acordo. O mais seguro é buscar alguém com referências.

- **Defina os prazos:** discuta o escopo do trabalho, datas de entrega e expectativas para a revisão. Ou seja, pergunte o que ele fará no texto e diga como espera o "tom" da obra para ele não mudar o seu estilo.

⇨ **#dicadalilian:** revisão, edição e algumas inserções e exclusões no seu texto são normais, fazem parte do processo. Os erros não o tornam um escritor ruim. Nosso português é cheio de armadilhas e até quem tem a gramática na ponta da língua falha.

Contratar um revisor profissional é um investimento valioso para garantir que o livro atinja a qualidade esperada. Muitos autores têm obras com ideias incríveis, mas, na hora de passar um pente fino no texto, fazem às pressas. O leitor não merece isso, nem você. Não se dedicar a essa etapa é desperdiçar tempo e talento, e ainda pode causar uma má impressão. Ou seja, não adianta capa bonita, boas sacadas e pesquisas se ignorar a imprescindível etapa da revisão.

Um último *checklist* para fazer as pazes com o texto:

- **Ele precisa dormir:** ao concluir um capítulo, deixe o texto descansar por um tempo. Com a pausa, você tende a voltar à revisão mais focado e atento às falhas. Fica mais fácil identificar erros e inconsistências.
- **Leia em voz alta:** isso vai ajudá-lo a perceber problemas na fluidez, no ritmo da escrita, bem como erros gramaticais e ortográficos.
- **Verifique as informações:** detalhes como nomes de personagens, características físicas, datas e eventos devem ter uma dupla checagem. Em publicações de não ficção, muita atenção às pesquisas e às citações, como já reforcei nos capítulos anteriores.
- **Elimine repetições:** analise se há palavras, frases ou ideias que aparecem várias vezes e as substitua por sinônimos ou expressões alternativas.
- **Considere a perspectiva do leitor:** coloque-se no lugar dele e pense em como vai receber a obra. Isso ajudará você a identificar partes confusas ou que precisam de mais detalhes para oferecer uma melhor compreensão do texto.

Escreva a sinopse atento à mensagem que deseja transmitir e inclua os principais diferenciais do seu projeto. Mesmo que ainda não tenha produzido todo o texto, exercite agora o poder de sintetizar.

A missão é deixar o leitor com vontade de ler sua obra.

"Para se compreender uma única vida, é preciso engolir o mundo inteiro."

— Salman Rushdie
(Os filhos da meia-noite)

11.

Pesquisas: não pule esta etapa!

Antes de iniciar a escrita, é crucial buscar fontes adequadas para embasar os argumentos, fornecer informações precisas e dar profundidade ao texto. Os estudos desempenham um papel fundamental na criação de um livro, mas é preciso ter cuidado para não se perder em meio a tantas informações hoje disponíveis na internet.

Você, assim como eu, adora ler sobre vários assuntos e vai de *link* em *link*, de pesquisa em pesquisa? Saiba que documentar tudo desde o início o ajudará a ganhar tempo na hora de usar essas descobertas no livro.

Mas, como diz o famoso ditado, "**Faça** o que eu digo, mas não faça o que eu **faço...**".

Quando comecei a escrever este *workbook*, tinha todo o material do meu curso **Escritores Admiráveis** (mais de 500 páginas), além de diversos artigos sobre os mais variados temas que envolvem *marketing*, dicas para *posts* e até como trabalhar o SEO[36] de um *site*. E as minhas referências bibliográficas, então? Contando agora, ao meu lado, estão cerca de 30 obras relacionadas aos assuntos de ***O Livro Secreto do Escritor***. São tantas marcações e destaques em cada trecho que, quando preciso de uma citação, perco um tempo valioso procurando por elas. "Ah, se eu tivesse fichado tudo! Marcando os melhores trechos no Kindle, usado o iPad." Ainda sou daquelas, confesso: grifo tudo e encho de *post-its*.

Isso já virou um aprendizado!

Para o meu próximo livro, que será, provavelmente, sobre assuntos ligados a *marketing*, vou deixar boas anotações com as devidas referências. Sim, espero me render à tecnologia, ao iPad, ao Kindle, e fazer resumos das minhas pesquisas, sejam artigos ou obras literárias. Tenho certeza de que categorizar e arrumar tudo por palavras-chave me fará ganhar um tempo crucial durante a redação.

Caso você ainda não tenha começado as pesquisas, aí vai um conselho: organize-se desde o início. Com os *links*, fui mais cuidadosa e deixei divi-

36. SEO, da sigla em inglês para *Search Engine Optimization,* é o conjunto de técnicas e ferramentas usadas com o objetivo de otimizar a estrutura e o conteúdo de um site com foco em garantir um bom posicionamento no resultado de buscadores como o Google.

dido por temas. Há anos tenho pastas de pesquisa separadas por assuntos na minha barra de favoritos, o que é muito prático.

Para facilitar a nossa vida, porque também quero melhorar nisso, aproveite as dicas que separei e tenha algumas horas a mais de sono. Afinal, quando estamos para finalizar o livro, aparecem tantos ajustes que percebemos:

O problema não é começar, mas colocar o ponto-final na obra.

Pesquisador e especialistas

Atenção para o método que você vai utilizar na realização de entrevistas, na observação direta de eventos ou fenômenos, na análise de dados estatísticos, entre outras apurações.

Fontes ~~não~~ confiáveis

Tenha cuidado! Evite *sites* ou fontes sem credibilidade. Dê preferência a livros de referência, artigos acadêmicos, *sites* de instituições renomadas e especialistas no assunto. Exemplos: Portal de Periódicos CAPES, *Scientific Electronic Library Online* (SciELO), Google Acadêmico, Instituto Brasileiro de Geografia e Estatística (IBGE) e Biblioteca Digital Brasileira de Teses e Dissertações (BDTD).

Na prática: utilize ferramentas como fichamentos, planilhas ou software de gerenciamento de referências para manter um registro ordenado das informações coletadas.

A pesquisa é um processo contínuo, e você sempre pode voltar a ela para aprofundar ou atualizar informações. Cuidado também se quiser fazer um livro atemporal. Dados mudam a todo instante e podem deixar a obra desatualizada rapidamente. A depender do caso, você pode indicar ao leitor onde ele consegue encontrar informações atualizadas.

Equilibre pesquisas extensas com criatividade e originalidade

Embora seja necessário se aprofundar, o leitor espera por algo original e não por uma obra cheia de pesquisas e citações (a não ser que seja, claro, um trabalho acadêmico). Utilize os estudos como uma base sólida para a escrita, mas não se restrinja a ser apenas um "repassador" de informações. Explore novas perspectivas, crie personagens cativantes e desenvolva tramas envolventes que vão além dos dados encontrados.

Durante meu Trabalho de Conclusão de Curso (o temido TCC) em Comunicação Social – Jornalismo, fui à exaustão. Li inquéritos, acompanhei bombeiros em atendimentos, entrevistei psicólogos, fui de Durkheim[37] ao manual da Organização Mundial da Saúde (OMS). Pirei! Até acompanhei uma banca de Medicina cujo tema do trabalho me interessava e fiz meu namorado viajar cerca de 100 quilômetros para ir atrás da pauta fresquinha.

Meu ensaio sobre suicídio só foi publicado porque meu orientador, o professor Jacques Mick, puxou minha orelha e disse: "Chega, escreve!".

37. David Émile Durkheim foi um psicólogo, antropólogo e cientista político. É considerado por muitos o pai da Sociologia.

Eu estava há seis meses pesquisando e, vergonhosamente, só tinha escrito cinco páginas. O trabalho atrasou, entreguei seis meses depois.

Se isso já aconteceu com você ou se notar que a procrastinação está relacionada a alguma insegurança, procure um editor ou um mentor de escrita para que consiga finalizar o texto.

#dicadalilian: é normal ficarmos sobrecarregados com uma quantidade excessiva de informações. Recomendo separar um tempo para leituras, sempre atento para que a pesquisa alimente o processo de escrita de maneira eficiente e sem excessos.

Atribuição correta de informações

Certifique-se de citar as fontes seguindo as normas de citação e referência apropriadas, como veremos adiante. Isso não apenas fortalece a integridade da obra, mas também demonstra respeito e ética em relação aos autores e pesquisadores de quem você utilizou o trabalho.

A inspiração parte das pesquisas! Liste tudo o que você precisa estudar.

Dois *sites* para inspirar você nesta jornada:

1 – Entre no portal da Biblioteca Nacional e aproveite os materiais do acervo digital.

2 – Leia as obras que estão em domínio público[38]. Se for utilizar alguma, precisa fazer a referência e dar os devidos créditos.

38. Quando acabam os direitos patrimoniais da obra, normalmente por ter atingido o prazo previsto em lei, dizemos que ela entrou em domínio público. Ou seja, pode ser utilizada, inclusive comercialmente, sem necessidade de licença ou qualquer outro tipo de autorização por parte dos autores originais, seus sucessores ou outros titulares de direitos autorais.

LIVRO

substantivo masculino

1. “Bloco de folhas de papel escritas, normalmente impressas, unidas de um lado e cobertas por uma capa.”

2. “A publicação de textos escritos em fichas ou folhas, não periódica, grampeada, colada ou costurada, em volume cartonado, encadernado ou em brochura, em capas avulsas, em qualquer formato e acabamento”

(Lei n. 10.753 de 2003).

12.

Referências bibliográficas e os cuidados com o plágio

Reúno aqui dicas importantes e práticas para não esquecer de respeitar os direitos autorais, além de ajudar a ganhar tempo no processo de escrita e edição do seu texto ao usar corretamente as citações desde o início. Até o fim deste capítulo, você terá uma lista de indicações de livros completa e precisa para a sua obra.

Desde o início da **Parte II** deste livro, tenho certeza de que a palavra "pesquisa" não saiu da sua cabeça.

Agora que você já cansou de saber como as referências são essenciais na escrita acadêmica e literária, pois transparece ao leitor o quanto você fundamenta suas afirmações em pesquisas e conhecimentos preexistentes, vamos para a parte prática.

Quem é universitário já usa as normas da Associação Brasileira de Normas Técnicas (ABNT) ao padronizar os trabalhos. Se para você esse é um mundo novo, recomendo estudá-las. Nelas, estão os elementos pré-textuais (capa, folha de rosto, listas e sumário), textuais (introdução, desenvolvimento e conclusão) e pós-textuais (referências, glossário, apêndices e anexos) que uma produção escrita deve ter.

Nem todos os itens citados acima são necessários. Não é obrigatório, mas, o que usar, recomendo seguir a mesma estrutura da ABNT. No capítulo 15, detalho cada parte de um livro e apresento os termos técnicos que um escritor deve conhecer para dialogar com o editor e o *designer* gráfico, por exemplo.

COMO ELABORAR AS REFERÊNCIAS:

Qualquer fonte utilizada deve ser nomeada para dar o devido crédito. Em uma referência, são necessárias as seguintes informações:

SOBRENOME DO AUTOR, Nome do autor. *Título da obra*: Subtítulo. Cidade: Editora, ano de publicação.

Sempre que pesquisar algo, anote esses itens e coloque na lista final de referências em ordem alfabética pelo sobrenome do autor.

Ao referenciar qualquer obra, você também pode acrescentar qual foi a edição utilizada, quando houver. Esta informação pode ser encontrada na ficha catalográfica. Veja o exemplo a seguir:

SOBRENOME DO AUTOR, Nome do autor. *Título da obra*. Número da edição. ed. Cidade: nome da editora, ano de publicação.

COMO REFERENCIAR *SITES*:

A diferença em relação à citação de livros é que o nome da editora deve ser substituído pelo do *site* utilizado, seguido do *link* e da data de acesso. Confira:

Modelo: SOBRENOME DO AUTOR, Nome do autor. Título da página. *Nome do Site*. Cidade, ano. Disponível em: <http://citandoautor.com.br/ABNT>. Acesso em: 10 out. 2018.

Exemplo: ABRANTES, Talita. Um guia para usar o "etc." do jeito certo. *Revista Exame*. São Paulo, 2013. Disponível em: <https://exame.abril.com.br/carreira/um-guia-para-usar-o-etc-do-jeito-certo/>. Acesso em: 10 out. 2018.

Fonte: UNIFEBE. *ABNT: Como fazer referências de livros e sites*. Disponível em: <https://www.unifebe.edu.br/site/blog/anbt-como-fazer-referencias-de-livros-e-sites/>. Acesso em: 04 jul. 2023.

Na prática: **familiarize-se com o estilo de citação recomendado para o seu campo de estudo ou gênero literário. Siga sempre as diretrizes específicas para referenciar livros, artigos, sites e outras fontes bibliográficas.**

Listas de referências bibliográficas

É comum incluir ao fim do livro as referências bibliográficas e listar todo o material citado na obra. Essa lista deve seguir o formato estabelecido pelo estilo de citação escolhido e fornecer informações completas sobre cada uma das fontes.

Adoro ler as referências e indicações de leituras do escritor! É uma forma de conhecer mais a bagagem dele. Não sei se você já tinha pensado nisso, mas, como citei na Parte I desta obra, existem inúmeras maneiras de se conectar com o público, até por meio de uma lista de referências.

Cuidado com o plágio!

Não é novidade, mas não custa lembrar: o plágio é uma prática antiética e inaceitável, pois envolve a apropriação indevida do trabalho intelectual de outra pessoa. Para não o cometer, nem por engano, é essencial compreender a diferença entre paráfrase e citação direta[39], como referenciar as fontes utilizadas e as maneiras de atribuir o devido crédito aos autores originais.

Para não perder o entusiasmo, crie agora uma lista com os livros que utilizou ou utilizará no desenvolvimento do projeto. Pratique com as dicas de formatação ensinadas neste capítulo.

Ah! Está liberado dar uma espiada em como fiz as referências ao final deste *workbook*.

39. Parafrasear é o ato de reescrever um trecho ou frase baseado nas palavras de alguém. Já citação direta é quando se transcreve mantendo as palavras exatas da fonte original.

"Nunca podemos julgar a vida dos outros, porque cada um sabe de sua própria dor e renúncia. Uma coisa é você achar que está no caminho certo; outra é achar que seu caminho é o único."

— Paulo Coelho
(Na margem do Rio Piedra eu sentei e chorei)

13.

Leitura crítica: o *feedback* para o autor

Obter uma visão externa e buscar opiniões é fundamental na hora de aprimorar o trabalho. Exploraremos nas próximas páginas os caminhos pela busca de críticas construtivas e também para lidar com o *feedback* de forma produtiva. Ou seja, tornar a obra mais atraente com avaliações profissionais. Deixe o ego pra lá...

Vamos falar a verdade. Já rola uma tensão na hora da avaliação do seu texto, concorda? Isso acontece porque nos cobramos demais e temos medo de nos sentir mal se alguém fizer algum apontamento sobre o que escrevemos.

Talvez por ter uma rotina muito intensa de aprovação de *releases* com as editoras, quase 30 por semana, perdi o medo da crítica. Sempre fico atenta ao que pontua meu colega de profissão – editor ou profissional de *marketing* da editora. Chego até a desconfiar quando peço um *feedback* sobre um texto e meu time só retorna com elogios. Sempre há algo a melhorar!

É claro que esta canceriana aqui sabe bem defender as próprias ideias. Já briguei por títulos, subtítulos e campanhas nas quais acreditava. Aos meus alunos, recomendo que façam o mesmo. No entanto, há uma diferença entre defender suas ideias e ter a humildade de receber a crítica.

Em um dos encontros da mentoria oferecida por mim, a escritora Deborah Dubner trouxe um novo termo. Vou pegar emprestado e tenho certeza de que muitos vão adotar. Ela me ensinou o "*loveback*", ou seja, um *feedback* carinhoso. Ele pode salvar um projeto.

Ter alguém para ler e opinar sobre o livro é uma oportunidade maravilhosa de crescimento, pode apostar! É claro que ele precisa ser honesto e bem fundamentado, pois como diz minha amiga e ex-colaboradora da LC, Cristina Tada: "Falar até papagaio fala".

Precisamos aceitar que nossa cabeça está sempre tão agitada com novas ideias e com a rotina da escrita que alguns furos aparecem na narrativa. É normal! Às vezes, você pode reler seu texto umas 30 vezes e não perceberá falhas. Mas quando aquele capítulo que parecia pronto é lido por alguém de fora e ele não compreende a ideia, então é preciso rever. Cuidado com a maldição do conhecimento!

Já vi muitos autores se negarem a receber críticas e o texto final não agradar ao público. Porém tenho observado na minha agência cada vez mais pessoas abertas a *lovebacks*.

A leitura crítica é sobre isso! Novos olhares, novas possibilidades de crescimento. Do lado de cá, dos bastidores, digo que quanto mais aberto o autor estiver a receber elogios, sugestões e opiniões (construtivas), melhor o projeto ficará.

Eu e meu time gostamos de ir além. Percebi muitos autores querendo avaliar o posicionamento do livro no mercado, seja em questão de originalidade ou como trabalhar a obra para atrair o público certo. Então, resolvi que a leitura crítica da LC teria um parecer sobre o *marketing* ao final. E posso afirmar: decisão certeira! Sentimos o autor muito mais confiante com o trabalho.

Dá medo colocarmos em "teste" nossos livros sem saber se as críticas serão muito duras, eu sei. Mas fica minha dica: só aceite o que for construtivo. De nada adianta alguém apontar ou reclamar de algo se não vier com uma solução.

Um bom leitor crítico vai apontar falhas e sugerir soluções. Cabe ao autor decidir se seguirá o conselho. Uma leitura crítica não pode, de forma alguma, desestimular você a seguir com o seu projeto.

O leitor beta segue o mesmo princípio. Apesar de essa pessoa ser responsável por ler o livro e passar o que sentiu com o enredo, é preciso ter "tato" para saber como repassar o *feedback* ao escritor.

Ah! Não confunda leitor beta com leitor crítico. O primeiro dirá o que o livro provocou nele, mas não tem a obrigação de apontar os furos na história ou sugerir soluções. Traduzindo: essa pessoa atuará como uma representação do seu público-alvo.

Existe também a leitura sensível. Com tantos assuntos importantes ganhando foco, a representação do leitor sensível tem sido essencial. Esse trabalho requer muito cuidado e delicadeza, pois deve sinalizar se o texto tem o potencial de despertar algum gatilho sério, levar uma fala à má interpretação ou se usa termos pejorativos ou preconceituosos.

Isso não significa que o autor escreveu assim de propósito. Muitas vezes, ele comete erros por não pertencer a determinados grupos sociais, então a chance de repassar uma informação equivocada é maior, mesmo tendo feito pesquisas. Se você escreveu algo envolvendo, por exemplo, temas como racismo, violência doméstica, depressão, ansiedade, luto, homofobia e xenofobia ou criou personagens de regiões, nacionalidades ou etnias que não conhece muito bem, recomendo a contratação de uma leitura sensível.

O leitor sensível deve ser, de preferência, alguém que faz parte do grupo representado, pois terá total propriedade para apontar as incoerências. Submeter o livro a uma leitura sensível é ter empatia, e pode fazer com que você evite muitas polêmicas desnecessárias.

É comum, antes de a leitura começar – beta, crítica ou sensível –, o profissional conhecer o projeto para além do conteúdo. O que você pretende despertar no leitor com a história? Qual é o público a ser alcançado? Adolescentes? Adultos? Crianças de até 12 anos?

Aproveite e preencha a seguir o *briefing*[40] do projeto, como se ele fosse passar por uma leitura crítica. Pense com calma em cada um dos tópicos e anote as respostas:

Por que você decidiu escrever este livro?

Quais sentimentos você deseja provocar com sua obra?

Qual a intenção da história? Gerar reflexão? Fazer uma crítica?

40. Uma breve descrição do seu projeto que servirá como um guia para você e os demais profissionais que trabalharão nele.

Quais são seus autores ou livros de referência?

Qual o diferencial da sua obra?

Liste os tópicos do seu projeto aos quais você gostaria que o leitor crítico dedicasse mais atenção:

Receba as críticas construtivas de coração aberto, combinado? Elas são feitas para ajudar você e seu projeto literário a alcançarem o potencial máximo.

"Lilian Cardoso é uma profissional de *marketing* extremamente antenada, organizada e criativa. Tive a honra de ler em primeira mão seu livro, que certamente vai brilhar como ela e iluminar a mente de autores por todo o Brasil. Repleto de estratégias dignas de *best-sellers*, esta obra é um manual completo, que conduz o leitor da concepção à materialização de uma obra. A expertise de Lilian é uma verdadeira fonte de inspiração, e não tenho dúvidas de que seu trabalho se tornará um recurso essencial para escritores em busca de orientação. De forma especial, devo ressaltar que Lilian foi fundamental para a concretização do sonho de publicar meu livro *Ressignificando Perdas*, que agora é uma realidade com sucesso de vendas.

O Livro Secreto do Escritor é um guia excepcional, minuciosamente elaborado por uma das mentes mais brilhantes da área."

Rackel Accetti, gerente administrativa, Editora Alfabeto, autora do livro *Ressignificando Perdas* e idealizadora da página @ressignificandoperdas

(Exemplo de endosso que recebi de uma profissional que admiro muito)

14.

Endossos, prefácio e posfácio

Mesmo que não conheça os termos, já deve ter notado estes elementos. Endossos são aquelas recomendações em evidência na capa, quarta capa ou nas orelhas da obra. No geral, são feitos por convidados do autor, como celebridades, professores e autoridades no tema tratado. Ter esse tipo de comentário pode garantir ainda mais visibilidade e credibilidade ao projeto. Saiba utilizar esses recursos como uma forma de potencializar a divulgação para a imprensa, *blogs* e influenciadores.

Você já percebeu que as marcas de perfumes costumam usar celebridades em propagandas? Sejam famosos de Hollywood, atletas, cantores...

Na verdade, costumamos dar bastante atenção à opinião de algumas pessoas. A influência existe, mesmo que seja discreta. Se alguém lhe recomenda um livro, uma peça de roupa ou uma comida e diz valer a pena, você, com certeza, analisará com mais vontade a possibilidade de comprar o produto. O endosso vem para despertar o mesmo sentimento.

Em outras palavras, endossos são depoimentos curtos feitos por outras pessoas e que servirão para reforçar o valor da obra.

O livro X é uma experiência necessária sobre como devemos prestar mais atenção ao nosso corpo. Se você tem uma rotina agitada e dá zero prioridade às idas ao médico, leia esta obra! – [Dr. João da Silva, cardiologista do hospital X]

Um livro fascinante que você não vai conseguir largar. – [influenciador/jornalista/celebridade]

Estes são exemplos hipotéticos de como os endossos são escritos. É a forma de fazer uma propaganda sutil – e, ainda mais, para chamar a atenção numa livraria ou nas campanhas nas redes sociais e na mídia em geral. Entre tantos projetos literários competindo por atenção, é normal o leitor ficar mais inclinado a comprar uma obra que transmite qualidade e referências de ponta a ponta. Se o médico de um hospital renomado recomendou, então com certeza o conteúdo é bom. Esse é o sentimento de uma boa parte dos clientes – muitas vezes de forma inconsciente. Aliás, quando algum influenciador recomenda um produto e você acredita na credibilidade dele, quais as chances de aderir mais ao produto comparado à recomendação de um desconhecido? Não é regra, mas acontece. E nem percebemos no dia a dia.

No entanto, não se desespere para conseguir endossos de pessoas famosas. Primeiro, porque se você não tem um contato próximo com elas será muito difícil conseguir o texto. Segundo, porque pode demorar meses até responderem à sua solicitação.

Fica a dica: o endosso de um profissional autoridade no tema tem um grande peso também. Se você escreveu sobre ansiedade, por que não pedir para um psicólogo ou psiquiatra? A obra é de fantasia? Então peça aos *bookgrammers*, *booktokers* e *booktubers* – até para um autor consagrado na mesma categoria literária.

Explore seu *networking*[41]. Se você não tem contato da pessoa ideal para endossar o projeto, fale com um amigo, primo, tio ou colega, se há alguém que ele conheça e faça uma ponte. Não tenha vergonha de pedir ajuda.

Publicou e não colocou endossos? Tudo bem, aproveite para colocar na segunda tiragem ou no novo projeto. Na LC, houve um autor que divulgou a obra para a imprensa e recebeu vários *feedbacks* positivos. Depois, selecionou os melhores e os colocou na reimpressão.

Isso não é incomum. Observe algum livro traduzido que foi um estouro de vendas no exterior – com certeza, terá um endosso do *The New York Times* na quarta capa.

Só tome cuidado para não poluir o *design* da obra ao enchê-la de endossos no mesmo lugar. Você pode distribuí-los na primeira orelha, junto com a sinopse, no texto de quarta capa e até no miolo como abertura de capítulo.

41. Termo em inglês usado para se referir à rede de contatos. Inclui seus familiares, amigos, colegas, ex-colegas – todos aqueles com quem você tem algum relacionamento e que podem dar apoio em seus projetos pessoais ou profissionais.

Para dar tempo de recolher os textos e inseri-los antes da impressão, comece a pedir os endossos pelo menos dois meses antes de o livro ser publicado. Essa etapa testará sua paciência. Cuidado com a ansiedade!

Como pedir endossos

Envie os primeiros capítulos em PDF para o *e-mail* da pessoa junto com a capa e um resumo do projeto. Explique por que você quer uma frase para endossar a obra e o quão importante é esse depoimento.

Prefácio

O texto de prefácio é mais elaborado, pois há um espaço maior para escrever. É o momento de você, autor, ou um convidado, apresentar o livro ao leitor com um breve resumo da história e os sentimentos que despertará. Se for preparado por outra pessoa, pode trazer também um elogio, seja pelo estilo literário, modo de narrar etc., e informar por que recomenda a obra prefaciada. O tom é mais de conversa, como uma carta destinada a alguém especial. Quem escrever precisa cativar e se conectar com o leitor. Ele é opcional, principalmente em obras de ficção que não fazem parte do cânone.

Posfácio

É aquela parte em que o autor inicia uma espécie de conversa com o leitor e traz alguma informação ou consideração extra, como uma interpretação de toda a leitura. Muita atenção para o texto não encerrar a história, não é esse o objetivo. O posfácio é uma parte opcional, então só acrescente se tiver algo verdadeiro a contribuir. Apesar de a grande maioria dos posfácios ser feita pelo próprio escritor, nada impede que um amigo, familiar ou autoridade no tema escreva também.

Anote o nome das pessoas na qual pretende chamar para o endosso do livro. Já pense em quem pretende convidar para fazer o prefácio e/ou posfácio da obra:

"Como cor de vestimenta, o laranja pertence às cores que a pessoa não trajaria 'de forma natural', como o faz em relação ao marrom e ao cinza. Não é uma cor em que não se correm riscos, como o preto ou o branco, que combinam com tudo, que servem para todas as ocasiões. Quem usa o laranja quer se sobressair. Assim, o laranja é também a cor dos inconformistas, dos originais."

— Eva Heller (A psicologia das cores)

15.

Diagramação, ilustração e estrutura de um livro

O leitor observa sim quando um livro tem o projeto gráfico bem trabalhado e detalhado. A leitura e a compreensão do texto melhoram, seja com ilustrações, tabelas ou infográficos... É a chamada "cereja do bolo" que torna a experiência dele ainda mais encantadora e o ajuda a se concentrar na narrativa e a se envolver mais com a história.

A estrutura de um livro (brochura)

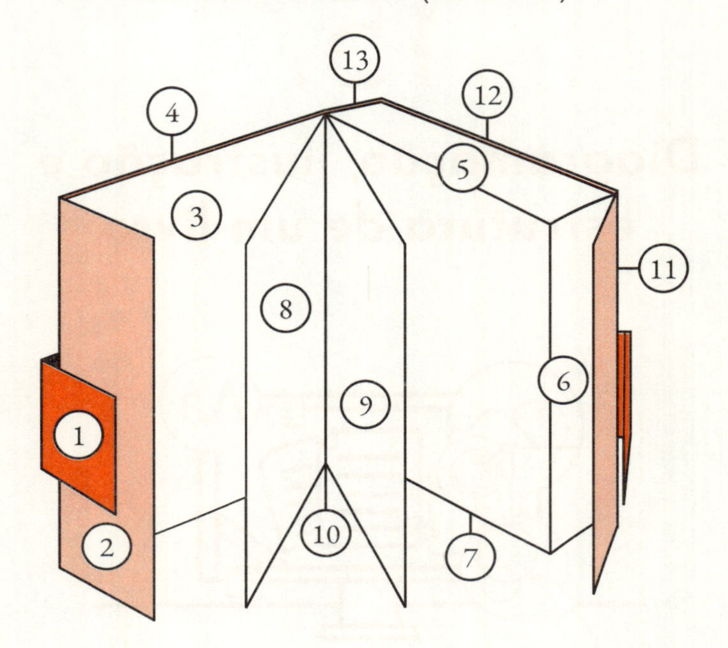

1. Cinta
2. Primeira orelha
3. Verso da capa
4. Capa
5. Corte superior
6. Corte dianteiro
7. Corte inferior
8. Falsa folha de rosto
9. Folha de rosto
10. Dobra
11. Segunda orelha
12. Quarta capa (ou contracapa)
13. Lombada

A estrutura de um livro (brochura)

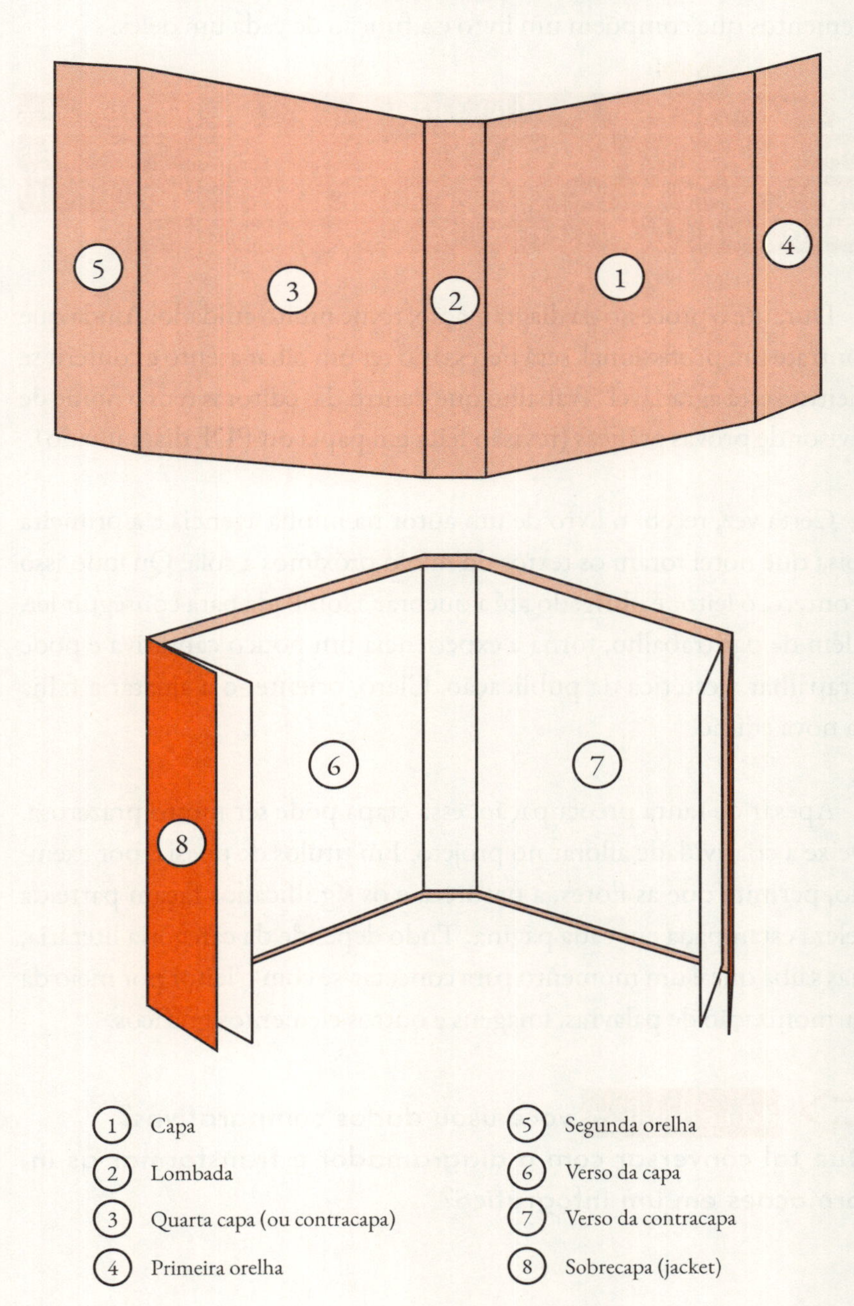

1 Capa
2 Lombada
3 Quarta capa (ou contracapa)
4 Primeira orelha
5 Segunda orelha
6 Verso da capa
7 Verso da contracapa
8 Sobrecapa (jacket)

Você não precisa decorar todos os nomes, mas é necessário conhecer os elementos que compõem um livro e a função de cada um deles.

Glossário do livro: nas últimas páginas, inseri todas as definições, explicando cada um dos termos técnicos mencionados. Conhecê-los ajudará a dialogar com os profissionais que trabalharão com você no projeto gráfico da obra (diagramador, capista, ilustrador).

Durante o processo da diagramação, tome muito cuidado! Ainda que contrate um profissional, será necessário ter um olhar atento e conferir se a leitura está agradável. Trabalho que dentro das editoras tem o nome de revisor de provas gráficas (revisão feita em papel ou PDF diagramado).

Certa vez, recebi o livro de um autor na minha agência e a primeira coisa que notei foram os textos do miolo próximos à cola. Quando isso acontece, o leitor é obrigado até a quebrar a lombada para conseguir ler. Além de dar trabalho, torna a experiência um pouco cansativa e pode atrapalhar a estética da publicação. Claro, orientei-o a ajustar a falha na nova edição.

Apesar de tanta preocupação, essa etapa pode ser muito prazerosa. Deixe a criatividade aflorar no projeto. Em títulos de poesia, por exemplo, permita que as flores, a natureza e os significados façam parte da beleza estampada em cada página. Tudo depende da categoria literária, mas saiba que é um momento para conectar-se com o leitor por meio da harmonização de palavras, imagens e outros elementos gráficos.

⇨ #dicadalilian: você usou dados comparativos? Que tal conversar com o diagramador e transformar as informações em um infográfico?

Compartilho a seguir as falhas de diagramação mais comuns:

- Elementos visuais e textuais sem respiro: é o "ar" ou "espaço vazio" existente entre as imagens, e até mesmo entre os parágrafos. Estes tornam a leitura mais confortável. Certifique-se de que eles existam, pois um livro sem respiros pode ser confuso e cansativo para o leitor.

- Má aplicação das cores: livros impressos em mais de uma cor precisam seguir um padrão de uso das paletas a fim de evitar confusões.
- Software errado: existem programas específicos para diagramar um livro. Opções como o Adobe InDesign[42] e o Scribus[43] têm os melhores recursos, pois foram feitos para edição de textos longos e são os mais usados no mercado. Se precisar de outro profissional para mexer no arquivo, vai ser fácil encontrar alguém especializado. Ao usar um *software* inadequado para essa finalidade, alguns erros podem surgir no arquivo, como caracteres estranhos e desconfiguração de trechos, imagens e tabelas.

- Alinhamento confuso: em obras impressas e com grande quantidade de texto, o alinhamento justificado[44] é o preferido, pois garante uma leitura agradável, e dificilmente o leitor se perderá caso precise voltar algumas linhas ou alguns parágrafos. Cuide para não alternar demais entre os estilos.

- Imagens em baixa qualidade: ninguém quer abrir um livro e encontrar no miolo ilustrações pixeladas[45], né? Certifique-se

---

42. É um *software* pago. Acesse o *link* https://www.adobe.com/br/products/indesign.html para mais informações.

43. Scribus é uma opção gratuita, pois é de código-fonte aberto, disponível em: https://www.scribus.net

44. Quando o texto está alinhado em ambas as margens.

45. Uma imagem é formada por pequenos quadrados chamados de *pixels*. Cada *pixel* é como um ponto de cor. Quando uma imagem está "pixelada", significa que os *pixels* ficaram visíveis, parecendo quadrados grandes. Isso acontece quando a imagem é ampliada demais ou quando a resolução não é alta o suficiente.

de que todos os elementos estão em alta resolução e evite que informações importantes se percam.

- Variedade excessiva de tipografias: o recomendado é utilizar até duas – ou, no máximo, três – fontes diferentes. Escolha uma para os títulos, outra para o corpo do texto e uma específica para citações ou outros detalhes que aparecerem com menos frequência.

- Ignorar as configurações de impressão: se você, ou o *designer* com quem estiver trabalhando, não considerar as sangrias e marcas de corte, a possibilidade de elementos do miolo serem cortados na impressão é muito grande. Preste atenção nisso!

#dicadalilian: garanta que as ilustrações e fotos utilizadas pelo diagramador sejam livres de direitos autorais. A prática mais comum é que elas venham de bancos de imagens, mas é sempre bom conversar com o diagramador antes de fazer a escolha delas.

Com *e-books* que serão publicados na Amazon, a história é diferente. A plataforma criou o Kindle Create[46]. Ele funciona como um diagramador *on-line* para o autor ajustar o texto no formato digital. Porém, nem todos os elementos de um livro físico funcionarão na versão digital. As letras capitulares, aquelas grandes localizadas na primeira palavra de cada capítulo, por exemplo, podem ficar desconfiguradas na versão digital. Por isso, reforço: se você não entende 100% das ferramentas digitais de diagramação, recorra a um especialista.

46. Para saber mais, acesse https://vempra.lc/kindlecreate ou pesquise por "Kindle Create" no Google.

Mas, Lilian, como saberei avaliar o serviço de um diagramador?

Analise o portfólio do profissional. Parece óbvio, mas você ficaria surpreso com a quantidade de escritores que não observa outros trabalhos realizados pelo diagramador. Nem sempre as opções de *layout que lhe agrada* vão funcionar para o seu projeto. Já pensou nisso? Meu livro como exemplo: todos da equipe **LC Design & Editorial** foram escolhidos por serem profissionais com experiência no desenvolvimento de livros de não ficção e *workbooks*[47]. A criação da parte gráfica contou com muitos *briefings* e estudos.

Existem profissionais que ainda são novos na área, mas desempenham bons trabalhos. Há quem tenha muita bagagem, mas está sem tempo e paciência. Por isso, bato na tecla de sempre avaliarmos o portfólio e a disposição do profissional para fazer o melhor pela obra.

NADA DE TER PRESSA PARA PUBLICAR. É O SEU LIVRO!

"*Ele entende o propósito do meu projeto?*" Essa é uma percepção que você terá ao conversar com o *designer*, diagramador e capista. Avalie se eles compreenderam o conteúdo da obra e quais os objetivos.

Pare de achar que perguntar por referências é sinal de desconfiança. Afinal, é o seu trabalho que estará nas mãos do profissional escolhido. Adiante-se e conheça a reputação dele no mercado. Se possível, converse com autores que já contrataram os serviços.

47. Livro com exercícios, normalmente com espaços para o leitor escrever suas respostas e praticar o que aprendeu.

Formalize o combinado! Ah, se todos fizessem isso... A conversa e o acordo acontecem muito informalmente, eu sei, mas garanta que tudo esteja em um contrato. É uma segurança para você e para o profissional.

Por fim, estabeleça prazos realistas. Tente não fazer nada às pressas. É comum que sejam necessários ajustes finais ou a troca de informações com todos os envolvidos. Sugiro combinar uma data de entrega flexível e contar com eventuais atrasos. Aliás, deixe claro no contrato o prazo final! Já construiu uma casa? É tipo isso!

As ilustrações em um livro

Quando falamos em ilustrações, costumamos associá-las às obras infantis. Porém, imagens e/ou desenhos também podem ser, e são, muito bem utilizados em todas as categorias literárias.

Capas ilustradas sempre têm um espaço significativo no mercado, porque se tornam ainda mais originais do que as de bancos de imagens, por vezes batidas. Livros que antes só contavam com fotografias e figuras realistas, como os da literatura erótica, passaram a desenvolver projetos altamente personalizados.

Houve até um debate sobre a possibilidade de essa tendência confundir os leitores. Talvez eles não consigam diferenciar um livro *Hot* de um *Young Adult*[48], por exemplo. Algumas categorias, como negócios, biografias e autobiografias, ainda costumam utilizar fotografias na capa, em especial se o livro for de uma celebridade. Mas, claro, o mercado está em constante evolução. Por isso você precisa estar atento às tendências e ao mais importante: o que deseja comunicar!

48. Em português, jovem adulto. É uma categoria literária voltada do público adolescente aos vinte e poucos anos.

Não posso falar deste tema sem mencionar a evolução da Inteligência Artificial (IA) na geração de imagens. A tecnologia não vai parar, queiramos ou não. Defendo que devemos nos adaptar à nova realidade. O Midjourney[49] e o DALL·E 2[50] ganharam um grande espaço no mercado editorial ao disponibilizar ilustrações personalizadas geradas por IA.

O primeiro livro, já em janeiro de 2023, totalmente ilustrado com esse tipo de ferramenta foi *Alice and Sparkle*, de Ammaar Reshi, um *designer* de produtos que trabalha no famoso Vale do Silício. Não entraremos na pauta se isso é bom ou não. A questão é que a Inteligência Artificial existe, e precisamos reconhecer: ela ganhou espaço neste século.

No entanto, **nada** (repito: **nada**) substituirá a arte humana!

Você pode parar de temer esse avanço e utilizá-lo em seu favor. Com a ajuda do Midjourney, por exemplo, conseguirá uma representação visual de como imagina seus personagens. É uma maneira de dar vida ao que tem em mente e até de perceber se as características atribuídas a eles correspondem às suas expectativas.

Ainda, o estilo da ilustração dependerá muito do tema. Temos o *vintage*, utilizado para passar um ar nostálgico. O minimalista, que utiliza pequenos objetos e bastante respiro na imagem final sem causar poluição visual, tornando a leitura confortável. O vetorial, gerado a partir de formas geométricas básicas. A aquarela, digital ou tradicional, é uma das preferidas entre os autores de publicações infantis, em especial pela delicadeza que costuma trazer ao projeto. Existem também as ilustrações em giz pastel, nanquim, colagens etc.

---

49. Ferramenta de Inteligência Artificial que produz imagens em alta qualidade e diferentes estilos a partir de descrições em texto. Saiba mais no *site:* https://www.midjourney.com/.

50. Sistema de IA que pode criar imagens com base apenas em texto. É mantido pela mesma empresa do ChatGPT, a OpenAI. Saiba mais no *site:* https://openai.com/dall-e-2/.

Se você precisar de um ilustrador, há duas formas de trabalharem:

1 – Quando o ilustrador é coautor: uma parceria usual no mercado. O profissional faz as artes e também ganha com a venda dos exemplares. A porcentagem varia de 2 a 5% do preço de capa. É importante entender que, nesse caso, o escritor é o autor dos textos; e o ilustrador, das ilustrações. Tudo tem de ser negociado entre as partes ou com a editora que irá publicar, claro. Isso é bem mais usual em livros infantis por ser todo feito de imagens.

2 – Quando o ilustrador é contratado: nesse formato, o escritor compra as imagens desse profissional e adquire o direito patrimonial por meio de um contrato para explorar economicamente as ilustrações. Já que vai pagar pelas imagens, não esqueça de indicar no documento que o uso será vitalício.

Em ambos os casos, é necessário dar os devidos créditos ao ilustrador, ou seja, mencionar quem é o profissional responsável pelas ilustrações na própria obra. Em livros infantis, o nome dele costuma aparecer na capa, junto ao do autor. É importante que a negociação e os detalhes do projeto estejam registrados em um contrato para a transparência e a segurança das partes.

Lembra do "*show, don't tell*"? (Mostre, não conte)

As ilustrações vêm, na maioria das vezes, para mostrar ou detalhar cenários e ações pouco explorados pelo texto. Cuidado para não transmitir uma representação repetitiva do que foi escrito. Uma ilustração muito óbvia pode se adiantar à imaginação do leitor e acabar interferindo na experiência dele.

Ao encomendar ilustrações para o projeto, discuta com o profissional a paleta de cores que será usada e verifique se ela passa os sentimentos apresentados no livro. Nem sempre o colorido e vibrante combinará com o tema. O estilo escolhido para as ilustrações conversa com o público-alvo? Será que não é muito infantil para a idade dos leitores? Dialoguem durante todo o processo de criação – grandes ideias podem surgir dessas trocas.

Ah, envie junto ao texto integral todos os detalhes do projeto e, se possível, a versão final para que o ilustrador leia e entenda a grande ideia da obra antes de começar os trabalhos!

Ilustrações em HQs

As histórias em quadrinhos costumam utilizar as ilustrações como uma parte ou continuação do enredo. Se você consome esse tipo de literatura, já deve ter visto quadros sem nenhum texto para que aconteça apenas a leitura da imagem. E se formos além, há obras feitas somente de ilustrações.

O autor de quadrinhos tem um trabalho extra, pois precisa criar o roteiro das ilustrações e de como elas complementarão o texto. É importante detalhar o tipo de balão de diálogo que gostaria de usar (diálogo, pensamento, sonho, grito, sussurro, uníssono...). Descreva a fala do personagem e faça a nota para a arte.

A nota de arte é o que você imagina para a ilustração, como cores, objetos no cenário, se terá um *zoom* em alguma parte específica do ambiente, se será um quadro pequeno, médio ou grande. Precisa da inclusão de algum efeito sonoro ou de movimento? Acrescente essa informação no roteiro.

As HQs costumam quebrar diversos padrões editoriais, como fazer quadros em diferentes tamanhos, e permitem até mesmo que os personagens pulem de um quadro para o outro, encarem e conversem com o leitor. É a categoria em que a criatividade e a originalidade correm soltas. Há um amplo espaço e diversidade a serem explorados no *layout*.

Nada impede o uso de um *storyboard*[51] para rascunhar como imagina os personagens e cenários. Isso também ajuda o ilustrador a entender o conceito do projeto. Não tenha medo de trocar ideias e mostrar referências, pois esse é um trabalho colaborativo e depende das decisões que vocês tomarem juntos, como um time.

Ilustrações: da poesia aos técnicos

Você já notou que algumas obras poéticas também têm imagens? Isso acontece porque é comum pegar um trecho ou frase do poema e transportar para o mundo visual. Caso queira fazer o mesmo, destaque no texto o trecho que gostaria de adaptar para uma ilustração. Muitas vezes, essas imagens são utilizadas no começo de cada capítulo, como uma abertura do poema.

Em contrapartida, livros técnicos fazem uso de uma categoria diferente: as ilustrações técnicas ou científicas. Elas buscam retratar com fidelidade o que é abordado no texto a fim de facilitar a compreensão de termos e conceitos específicos.

Já para títulos de não ficção, como os de desenvolvimento pessoal, negócios, empreendedorismo ou reportagens, os infográficos, os mapas mentais e as linhas do tempo combinam muito mais, pois garantem dinamismo à leitura.

É o leitor quem compra a SUA IDEIA!

Estes são apenas alguns exemplos, e não substituem o trabalho de pesquisa a ser feito por você, autor. Lembre-se de não levar apenas o próprio gosto

---

51. Técnica de rascunhar as cenas do livro e já dividi-las entre os quadros.

pessoal, do editor ou do ilustrador em consideração. A opinião final é sempre do leitor.

O escritor tá ON!

A Darkside Books se tornou referência em produzir livros que são verdadeiras obras de arte. Movimento que tem reverberado no mercado livreiro, que entendeu o valor do livro como um todo na paixão dos leitores e em sua decisão de compra. Aproveite para se inspirar nesta e nas outras editoras que investem no projeto gráfico. Leve referências aos profissionais que vão trabalhar com você. No próximo capítulo, vamos falar também da importância de uma boa capa.

O que você acha de planejarmos o design do livro?
Escolha três capítulos e descreva quais elementos gráficos gostaria de utilizar no *design*. Leve em consideração a categoria literária.

Se você ainda não escreveu a obra, solte a imaginação e coloque nas linhas a seguir como deseja o *layout* do próximo projeto. Pense na tipografia, nos gráficos, se fará ilustrações personalizadas, qual paleta de cores seguirá etc.

"Vejamos: será que eu era eu mesma quando acordei esta manhã? Estou quase achando que levantei da cama ***me sentindo*** *um pouco diferente."*

— Lewis Carroll (Alice no País das Maravilhas)

16.

Capa, ficha catalográfica e ISBN

Apesar de julgar o livro pela capa ser um ato que muitas pessoas condenam, é algo normal entre os consumidores, e, na maioria das vezes, até de forma inconsciente. O primeiro contato do leitor é com a parte estética da obra, ou seja, toda a identidade visual do projeto gráfico. O *design* está em tudo. Saiba também nesta etapa como fazer a ficha catalográfica e solicitar o RG da sua publicação.

A CAPA NÃO PODE SER SÓ BONITA, ELA TEM DE COMUNICAR.

O conteúdo pode ser o melhor do mundo, mas se a capa não estiver conectada ao tema, você pode perder leitores, que vão passar batido entre milhares de opções em uma livraria ou loja *on-line*.

A escolha das cores também é imprescindível. Um livro de terror, por exemplo, não combina com uma capa toda colorida e fontes infantilizadas. Claro, existe a liberdade artística. Se há um conceito por trás dela, tudo bem. Tenha, antes de tudo, boas referências.

Das cores à escolha da tipografia

Toda cor desperta um sentimento diferente. Eva Heller, autora do livro *A psicologia das cores: como as cores afetam a emoção e a razão,* entrevistou duas mil pessoas para identificar como elas reagem a determinadas cores. O azul, por exemplo, foi considerado o tom da simpatia e também o favorito da maioria. Eva explica o motivo:

> *É que quando associamos sentimentos a cores, pensamos em contextos muito mais amplos. O azul é o céu – portanto azul é também a cor do divino, a cor eterna. A experiência constantemente vivida fez com que o azul fosse a cor que pertence a todos, a cor que queremos que permaneça sempre imutável para todos, algo que deve durar para sempre.*

De acordo com o estudo, o vermelho é a cor do amor e ódio; o amarelo varia do otimismo ao ciúme; verde remete à fertilidade e à esperança, mas também pode representar podridão; preto é poder, violência e morte, mas também é elegância; branco se encarrega de trazer a inocência; ouro significa sorte, dinheiro e luxo.

> *Os resultados das pesquisas demonstram que cores e sentimentos não se combinam ao acaso nem são uma questão de gosto individual – são vivências comuns que, desde a infância, foram ficando profundamente enraizadas em nossa linguagem e em nosso pensamento. Com o auxílio do simbolismo psicológico e da tradição histórica, esclareceremos por que isso é assim. Um terço da criatividade consiste de talento, um terço de influências ambientais que estimulam dons especiais e um terço de conhecimentos aprendidos a respeito do setor criativo em que se trabalha. Quem não souber nada a respeito dos efeitos gerais e da simbologia das cores, quem quiser confiar apenas em seus talentos naturais, será sempre ultrapassado por aqueles que possuem, além disso, esses conhecimentos. Usar as cores de maneira bem direcionada significa poupar tempo e esforço.*

Recomendo a leitura do livro caso queira se aprofundar no tema. É importante que você saiba, pelo menos, o básico deste estudo para o projeto gráfico da sua obra comunicar a mensagem certa. Se vai lançar um livro infantil que fala sobre amizade, uma capa com fundo preto pode não ser a melhor ideia.

Tome cuidado também ao combinar as cores, pois pode acabar comprometendo a legibilidade das palavras. Uma capa branca com fonte cinza-claro será difícil de ler, concorda?

Um *designer* profissional deve avaliar se a capa vai ser bem visualizada por daltônicos e pensar até na tela em preto e branco dos leitores digitais, como o Kindle. Atenção para o contraste das fontes.

Tenha este olhar quando estiver nesta etapa do projeto. Sabia que até mesmo o tipo de fonte do título e do nome do autor comunica uma mensagem?

EXEMPLO:

Fonte com serifa[52]: impressão de algo mais tradicional e antigo. Sem serifa: remete à modernidade e à objetividade.

Fonte manuscrita ou em letras cursivas: sensação de delicadeza e estilo.

Gótica: dá a entender que a obra se passa em um contexto histórico ou medieval.

Cada detalhe importa. Caso a história seja ambientada no século XXI, é provável que não caberá utilizar uma fonte gótica no título.

Frequente livrarias e o *site* da Amazon; observe os elementos utilizados em livros da mesma categoria que o seu.

O escritor tá ON!

Vá à livraria mais próxima com papel e caneta na mão. Observe capas de livros similares e anote os elementos visuais em comum. Você perceberá que existe um certo padrão nas fontes, cores e ilustrações. O autor precisa ser também um observador.

52. Serifa é um termo usado para descrever as pequenas linhas ou enfeites que aparecem nas pontas das letras em alguns estilos de escrita. É como um detalhe decorativo que deixa as letras com um aspecto mais elegante e formal, como as letras de uma máquina de escrever.

Tome cuidado na hora de distribuir o título, o subtítulo e o nome do autor no *design* da capa. Evite deixar os três muito próximos um ao outro para não causar poluição visual. Faça o *checklist* a seguir e confira se a sua capa tem todas as informações necessárias:

- ❑ Título do livro
- ❑ Nome do autor
- ❑ Subtítulo (se houver)
- ❑ Selo da editora (se houver)
- ❑ Número da edição (opcional)

É comum que o nome do escritor apareça na parte superior ou inferior da capa. Você pode, ainda, complementá-la com informações extras voltadas ao *marketing* da obra, como:

- Selos de prêmios literários
- Ano em que a obra foi *best-seller*
- Um endosso

Caso um formador de opinião, uma mídia de grande relevância nacional ou regional, uma celebridade ou alguém considerado referência no assunto tenha recomendado a leitura do livro, coloque em destaque na próxima edição e divulgue nas redes sociais. Lembra que comentei sobre o peso de um endosso? Esse é o momento de usá-lo!

Não estou aqui para ditar regras, cada profissional trabalha de uma forma. Mas você e o capista precisam estar na mesma página. O mercado literário é uma indústria também e, como tal, se encontra em constante movimento. Pode ser que hoje as ilustrações estejam em alta e amanhã vetores[53] gerados por algoritmos de Inteligência Artificial criem uma nova onda, quem sabe? Manter-se bem-informado sobre as tendências não é luxo, e sim uma necessidade para se destacar em meio aos milhares de livros lançados todos os dias.

#dicadalilian: mostre a capa final para três pessoas diferentes e peça para adivinharem, com base no *design*, o tema da obra. Esse parecer dirá a você se o projeto gráfico comunica ou não a mensagem do livro.

Para finalizar, faça seu próprio banco de inspirações: entre no aplicativo (ou *site*) Pinterest e busque por "capas de livros". Você poderá salvar as de que gosta ou mesmo enviar por WhatsApp para o capista. Pode procurar em inglês por "*book cover*" para pesquisar inspirações estrangeiras.

Material complementar

Leia o QR Code ao lado e conheça a seleção de capas que preparei para você no Pinterest.

53. Ilustrações digitais que não são feitas de *pixels* e podem ser ampliadas sem que haja perda de qualidade.

Faça o RG da obra

Capa, diagramação e revisão prontas? Hora de dar um pulo no *site* da Câmara Brasileira do Livro (CBL) e solicitar o número de ISBN e a ficha catalográfica.

O ISBN (*International Standard Book Number*) é um código universal, reconhecido em mais de 200 países e composto de 13 dígitos. Em outras palavras, é uma espécie de RG da obra que identifica a edição, o local de publicação e a autoria. Ajuda a individualizar e catalogar todos os livros.

A emissão do ISBN é muito simples. Você pode entrar direto no *site* da CBL (www.cbl.org.br) e fazer a solicitação. Basta preencher um cadastro rápido como pessoa física ou jurídica, inserir os dados da obra e realizar o pagamento.

Atenção para uma dúvida comum: "Se o meu livro tiver uma nova edição, preciso emitir outro ISBN e ficha catalográfica?". A resposta é SIM! Cada edição é considerada um novo projeto.

Ou seja, nova edição = novo ISBN e nova ficha catalográfica.

Sabe quando você vai a uma biblioteca, pergunta por um livro e o bibliotecário indica com exatidão onde ele está? Sei que pode até parecer mágica, mas há uma explicação bem simples para isso: ficha catalográfica.

É graças a ela que os livros são catalogados e identificados em bibliotecas e livrarias. A ficha geralmente fica no verso da folha de rosto e contém o nome do autor, o título do livro, o assunto do qual a obra trata, a editora, o número da edição, o local e o ano de publicação, e o ISBN. Você também pode fazer a sua no *site* da CBL.

Deixar de emitir o ISBN e a ficha pode impedi-lo de participar de diversos eventos e prêmios literários. O Prêmio Jabuti, por exemplo, desclassifica a inscrição dos títulos que não possuem ISBN. Então, você não tem desculpas para pular esta etapa!

Use este espaço para anotar o nome de livros com capas que o agradem ou possam servir de inspiração. Encontre-os nas livrarias, nas redes sociais e observe o que as pessoas leem na rua ou no metrô. Veja a lista dos mais vendidos também. Visite lojas de artes para observar formas e tons, e estimular a criatividade. Enfim, tudo que possa inspirá-lo.

“Ao abandonar o controle e as amarras do pensamento tradicional, repleto de paradigmas, abre-se o caminho para visualizar as inúmeras oportunidades que estão presentes no ambiente. Essa é uma nítida diferença entre o grupo dos 5% e os demais. Enquanto os últimos se queixam constantemente dos problemas da vida e do mundo, os primeiros desfrutam da privilegiada posição de quem pode escolher entre inúmeras alternativas que percebem disponíveis.”

— Alex Bonifácio (Pense grande)

17.

Caminhos da publicação

Como encontrar agentes literários, editoras e outras parcerias? Ou pretende ser um escritor independente? Neste caso, seus aliados serão as editoras de coparticipação, o KDP da Amazon, as agências e profissionais do mercado editorial, as plataformas de impressão sob demanda e, é claro, as gráficas.

Nos tempos de Machado de Assis, não era nada fácil produzir uma obra e fazer com que ela chegasse aos leitores. Hoje, passados tantos anos, isso se tornou muito mais simples graças às diversas tecnologias e aos modelos de negócio disponíveis.

De vez em quando, aparece um *hater*[54] nas minhas redes sociais argumentando que hoje é mais difícil publicar e vender livros. "Olha, moça, ser escritor antigamente era mais fácil, eles não precisavam se preocupar com *marketing*." Pergunto: quem disse? Este tipo de provocação sempre me faz pesquisar mais. Nada como responder a alguém com pensamento crítico!

Apesar de muitos reclamarem das barreiras para publicação em uma editora tradicional. A verdade é que hoje é mais fácil colocar um livro no mundo. Seja por meio da publicação independente, pelas plataformas de impressão sob demanda, pela Amazon ou em parceria com editoras. São tantas opções que o complicado é escolher qual o melhor caminho.

Este é o meu desafio neste capítulo: apresentar as principais possibilidades e apontar os bônus e os ônus de cada opção. Ter conhecimento sempre traz segurança para tomarmos as decisões mais importantes. Com o livro, não pode ser diferente.

Perguntas frequentes do escritor (FAQ): Editora tradicional

Como funciona publicar por uma editora tradicional?

Esta é a forma de trabalho mais antiga e desejada pela maioria porque, neste modelo, o autor não gasta nada e recebe *royalties*[55]

54. Pessoa que posta comentários de ódio nas redes sociais.

55. A quantia paga ao escritor a cada livro vendido é chamada *royalty*.

referentes aos direitos autorais pela venda de exemplares, ou seja, todo o custo de produção, impressão e distribuição do livro é por conta da editora.

O valor investido em cada projeto pode chegar a R$ 100 mil – tudo depende da tiragem a ser impressa, das ações de *marketing* e editoração da obra. É importante considerar também o alto custo da editora para manter os livros nas distribuidoras e outras despesas logísticas que encarecem o produto.

O autor recebe, em média, 10% sobre o preço de comercialização do livro para o leitor (é usual falarmos preço de capa), de acordo com o definido em contrato. Há também algumas negociações diferentes, como as que mencionam as vendas destinadas ao governo, os direitos de *audiobooks* e *e-books*. As editoras também podem oferecer *royalties* maiores e adiantamentos para publicar um autor que já tem audiência e é disputado entre casas editoriais.

É preciso uma grande ideia com demanda de mercado para ter o livro 100% bancado por uma editora. Nas nichadas, como as jurídicas, acadêmicas, educacionais e religiosas, o currículo acadêmico e experiência profissional do escritor são levados em consideração. Além disso, é importante o autor saber que não trabalhará sozinho no projeto e terá de seguir os padrões editoriais.

Em todo projeto literário, o que há de inovador, há de risco. — Marcos Torrigo (editor-chefe na LVM Editora)

#dicadalilian: estabeleça logo no início da negociação como será a aprovação da edição de texto, da capa e do projeto gráfico, o que você espera da editora e o que ela deve esperar de você. Pode parecer besteira, mas os valores da casa editorial e do autor precisam dar *match*, caso contrário, o caminho para a publicação pode divergir e conflitar.

Na prática: tenha uma relação próxima e profissional com o editor. Ele é quem vai coordenar os processos. Comunique-se com clareza e esteja disposto a debater e trocar ideias. Vocês precisam trabalhar como um time!

Como envio meu original para avaliação?

Para ter um livro avaliado por uma editora tradicional no Brasil, é recomendado seguir alguns passos a fim de evitar um "não" logo de cara e ter mais chances de ser selecionado. Primeiro, pesquise pelas editoras que trabalham com o gênero da sua obra e possam se interessar pelo projeto. Em seguida, visite o *site* da casa editorial desejada e procure informações sobre as diretrizes de submissão. Algumas abrem para avaliação de originais em temporadas específicas. Fique sempre de olho.

Geralmente, as editoras possuem uma seção específica no *site* com informações sobre o tipo de material aceito, como enviar o manuscrito (impresso ou digital), se é necessário o intermédio de um agente literário e quais dados devem acompanhar o envio, como a sinopse e uma breve apresentação do autor. Cuide para seguir as instruções corretamente e envie todos os materiais de acordo com as orientações. A maioria das editoras tradicionais não respondem quando o livro é recusado e o processo de avaliação pode levar algum tempo! Caso receba uma recusa, não se desespere. Pode ter relação com o momento da editora. Também, o que eles têm buscado para o catálogo influencia na resposta.

Não desista, siga confiante e como aprenderá aqui, há como seguir com êxito por meio da publicação independente. Ter paciência durante esse período é fundamental. São muitos originais para avaliar. Outra sugestão é entrar em contato com as editoras enquanto escreve o livro em vez de esperar ficar completamente pronto. É comum que queiram fazer alterações na sua obra – ou até mesmo sugerir melhorias. Lembre-se de estar aberto a *feedbacks*!

Capriche numa apresentação clara e objetiva por *e-mail* e elabore um *book proposal*. A proposta do livro reúne as qualidades da obra, a experiência do autor e o que ele tem a oferecer à editora.

O que deve ter na proposta irresistível?

- Texto sobre quem é você;
- Sinopse do livro;
- Resumo dos capítulos;
- Argumento de vendas com títulos semelhantes que fizeram sucesso;
- Informações do público-alvo;
- Plano de *marketing*;
- Endereço do seu *site*/redes sociais.

Material complementar

Leia o QR Code ao lado e aprenda como fazer um book proposal do seu livro para atrair a atenção das editoras.

Onde procurar por editoras tradicionais?

Sites: Câmara Brasileira do Livro (CBL), Associação Brasileira de Editores de Livros (Abrelivros) e Liga Brasileira de Editoras (Libre).

Feiras e eventos do setor: fique de olho em feiras do setor e eventos do mercado editorial. Sem dúvida, são ótimas oportunidades para conhecer diferentes editoras e publicações.

Títulos semelhantes: se você já tem em mente um livro similar ao seu, verifique a página de créditos para ver qual editora o publicou. Isso lhe dá uma ideia de quem pode se interessar pelo seu trabalho.

Redes sociais: visite os *sites* e perfis das editoras com as quais você se identificou.

O que os editores e agentes literários analisam:

***On-line*:** como é a sua interação com seguidores nas redes sociais? Qual o número de visualizações e curtidas nos vídeos e *posts*? Você tem um *site* de aparência profissional?

***Off-line*:** palestras, eventos e aulas que você tenha apresentado ou ministrado.

***Networking*:** como é a sua rede de contatos? Quais parcerias tem? Quem escreveu o prefácio da obra?

Currículo: cursos realizados e conquistas, como prêmios e concursos literários.

Vendas: se tiver o número de vendas de livros anteriores, tanto publicados por editoras quanto de forma independente.

Agentes literários no Brasil: uma ponte até as editoras

O sonho de muitos é encontrar um agente literário que cuide da sua carreira. Se você nunca ouviu falar, esse profissional é responsável por negociar contratos e fazer todo o acompanhamento dos trabalhos: dos projetos editoriais à adaptação da obra para o cinema, o teatro, a televisão etc.

Nos Estados Unidos e em regiões da Europa, por exemplo, com um mercado editorial bem estabelecido, é muito difícil um autor conseguir publicar por uma editora tradicional sem ser por meio desses profissionais. Trident Media Group e The Knight Agency são as principais agências estrangeiras, com os maiores autores do mundo em seu portfólio.

No Brasil, apesar de o mercado ter começado mais tarde, há muitas agências e profissionais com um excelente trabalho. Mas o número ainda é pequeno perto da quantidade de novos autores que surgem diariamente.

Por isso, é comum que, ao entrar no *site* das agências que vou indicar, elas estabeleçam um período para o recebimento e a avaliação de originais. Ou ainda, como funciona para qualquer mercado, muitos autores entram nessas agências por indicação – o bom e velho *networking*.

Uma dúvida constante é entender como funciona a remuneração desses profissionais. Os agentes recebem quando o autor ganha um adiantamento (comum para quem têm um grande público de leitores) ou lucram um percentual sobre o direito autoral, que pode variar entre

10% e 30%. É por isso que os agentes literários também precisam selecionar muito bem com quem vão trabalhar. Afinal, só ganham se o autor fizer sucesso. É uma aposta.

Minha recomendação é que você trabalhe firme para melhorar cada vez mais a escrita e invista em *marketing* pessoal antes de abordar esses profissionais. Já recomendei autores para excelentes agências, mas, antes de fazer a indicação, reestruturei todo o *site*, as redes sociais e os livros publicados pelo profissional na Amazon. É como se fosse propor a alguém uma sociedade: os dois lados precisam acreditar no projeto para investirem juntos, ainda mais o autor que deseja ser publicado por uma editora. Na primeira parte deste guia, pontuei como o *marketing* pessoal pode inverter esse jogo. Em vez de bater na porta desses profissionais, faça com que eles venham até você.

Material complementar

Leia o QR Code ao lado e veja a relação das principais agências literárias no Brasil.

Para quem deseja seguir de maneira independente

Há diversas formas de publicação para um escritor seguir sozinho. Uma alternativa é a autopublicação, na qual ele assume a responsabilidade por todo o processo, desde a produção até a distribuição em plataformas como Kindle Direct Publishing (KDP) e/ou *sites* de impressão sob demanda.

Ao caminhar "solo", é preciso redobrar os cuidados, pois pode estar mais passível de cometer erros. Ou seja, você tem mais autonomia, mas enfrenta outros desafios. Precisa entender como funcionam os tipos de contratação para escolher o melhor para seu projeto e o quanto deverá investir em cada fase.

Além disso, há estúdios focados na produção do livro, cujo direito comercial fica 100% com o autor. É assim que funciona na **LC Design & Editorial.** É o escritor quem contrata os serviços necessários para garantir qualidade profissional, como leitura crítica, revisão, capa, diagramação, ilustração e conversão para *e-book*. O mais importante neste formato é o autor explorar parcerias com livrarias independentes, participar de feiras literárias e utilizar as redes sociais e os *blogs* literários para promover a obra e conquistar leitores. O sucesso depende de estudo, dedicação, parcerias e ações práticas.

Um caminho muito utilizado por quem vai publicar o primeiro livro e não tem tempo de cuidar de todo o processo é fazer contrato de coparticipação. Muitas editoras trabalham assim e ficam responsáveis por toda a produção e publicação da obra. Geralmente deixam o livro à venda no *site* e em algumas livrarias *on-line*.

Neste tipo de parceria, é o autor quem financia os custos da produção e divulgação da obra.

Veja o quadro que ilustra os caminhos mais utilizados no Brasil:

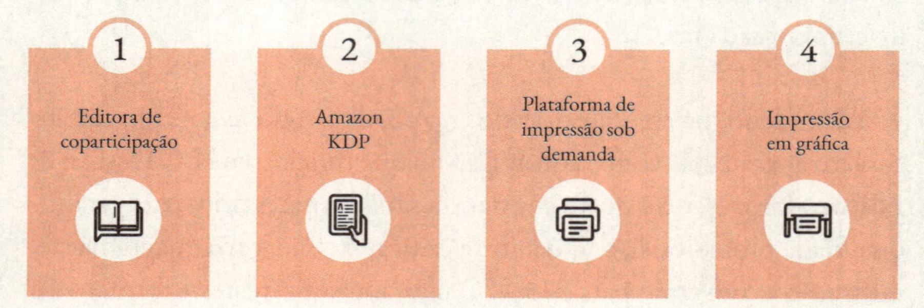

Perguntas frequentes do escritor (FAQ)

1. Editora de coparticipação

Como funciona publicar por uma editora de autopublicação ou coparticipação?

Tenha em mente que, se for pagar pela produção, você também é cliente. Autopublicação, coparticipação, publicação em parceria... Cada empresa usa um nome para esse tipo de serviço. Sim, há várias editoras sérias que oferecem boas oportunidades a novos autores ou a quem não quer esperar pela chance de publicar por uma editora tradicional.

Em todos os mercados, existem profissionais sérios, que entregam o prometido, e os que fazem promessas irreais. Digo isso porque são anos na divulgação de livros de autores independentes. Muitos não se atentaram ao contrato ou foram enganados com a promessa de ter a publicação distribuída para todo o Brasil. Já vi até ser prometido que a obra iria para as livrarias de Portugal e a autora nunca mais recebeu uma resposta depois da publicação. Fico muito chateada com esses colegas de mercado, pois queimam a imagem das boas editoras de autopublicação.

Por isso, deixei uma parte específica do livro para ensinar você a avaliar contratos. No próximo capítulo, aprofundarei a questão dos direitos autorais. Sim, parece irônico, mas muitos não leem o próprio contrato.

Essa é uma excelente alternativa ao autor que não tem tempo para cuidar de todas as etapas da produção: capa, diagramação, revisão, cadastro do *e-book* na Amazon etc. Muitas dessas editoras estão presentes nas maiores feiras literárias do país e possibilitam um bom *networking* para os novos autores.

Em resumo, sim, recomendo fazer negócio com editoras de coparticipação. Sobre valores, é difícil falar porque depende muito do tamanho da obra, se você comprará alguns exemplares, como será o projeto gráfico, se a editora também cuidará do *marketing* e da divulgação. Por isso, é essencial que o autor fique ciente do que está e não está incluso no contrato. É uma parceria que precisa valer a pena para os dois lados.

2. Amazon KDP

Como publicar na Amazon?

A chegada da Amazon no Brasil, com a plataforma Kindle Direct Publishing (KDP), mudou o cenário para os autores que desejam seguir sozinhos, sem uma editora. Primeiro: não há custo cadastrar a sua obra! Mas se deseja ter a obra na maior plataforma de livros do mundo, é preciso trabalhar a capa e o projeto gráfico antes da publicação, claro. Caso não seja um *designer*, deve fazer o investimento inicial para contratar alguém responsável por capa e diagramação.

O leitor pode ler os livros digitais no próprio aplicativo da empresa no *desktop*, *tablet* e *smartphone*, além de no próprio Kindle. As maiores vantagens do KDP para os autores são a transparência, o controle total sobre as vendas e o percentual de lucro de suas publicações. Apesar da concorrência, estar em uma das maiores redes de varejo *on-line* do mundo é, sim, uma grande vitrine.

Qual a diferença entre o KDP e o KDP Select? Quais as vantagens e desvantagens de cada opção?

Existem duas formas de ser remunerado pelas vendas na Amazon:

1 – Participação no KDP Select: o livro digital fica disponível no Kindle Unlimited[56]. Neste programa, o autor lucra pela quantidade de páginas lidas em um cálculo bem complexo. Quando o livro é vendido fora do Kindle Unlimited, os *royalties* são de 70% sobre o valor pago pelo cliente para obras de até R$ 24,90. Acima desse valor, a parte do autor cai para 35%.

2 – Venda total do e-book na plataforma: os *royalties* são de 35%[57] e o livro fica indisponível para os assinantes do Kindle Unlimited sem custo adicional. Eles precisam comprar o livro completo como os demais.

Ou seja, quando um livro está no KDP Select e, portanto, disponível no Kindle Unlimited para assinantes, a Amazon paga um percentual maior a cada venda fora do programa. Assim, estimula os escritores a participarem. Por consequência, o catálogo de livros disponíveis aumenta,

56. É um programa de assinatura da Amazon em que o leitor paga todo mês para ter acesso ilimitado a uma imensa quantidade de livros digitais. Eles podem ser lidos no celular, *tablet* ou *computador*, além de no próprio *Kindle*.

57. A porcentagem de *royalties* pode mudar a qualquer momento, então verifique sempre no *site* da Amazon: https://vempra.lc/kindleroy.

o que estimula mais leitores a pagarem só uma mensalidade em vez de comprar os títulos individualmente.

É possível vender meu livro impresso na Amazon? E para fora do Brasil?

Livros impressos pela Amazon precisam de ajustes específicos, como na capa e nos formatos. Aliás, é uma alternativa excelente para autores que desejam publicar em outros idiomas ou vender a leitores estrangeiros. Ou seja, a pessoa compra e a Amazon imprime e entrega. Na hora do cadastro, você faz essas escolhas e já é informado sobre em quais países isso é possível. Ao disponibilizar o exemplar físico no KDP, é preciso fazer uma verificação da conta bancária.

Se eu imprimir os livros em uma gráfica, consigo vender na Amazon?

Você pode criar uma loja virtual no *marketplace* da Amazon e ofertar sua obra lá. Essa opção vale para escritores, vendedores autônomos, revendedores e pequenas e médias empresas. Atente-se para os planos de venda, pois cada um tem especificações diferentes. No capítulo sobre distribuição e divulgação, explicarei em mais detalhes como essa opção funciona.

Posso cadastrar meu livro como *e-book* na Amazon e físico em outra plataforma de impressão sob demanda? Ambos ficam disponíveis juntos na Amazon?

Nada o impede de cadastrar o livro digital na Amazon e o físico em uma ou mais plataformas de impressão sob demanda. Mais adiante, indico as principais que podem também disponibilizar a versão impressa na Amazon. Cada plataforma tem os próprios custos e você escolhe quanto quer ganhar na venda.

Não vou colocar o passo a passo aqui porque ele é gigantesco – apesar de ser simples, há muitos detalhes! Escaneie o *QR Code* a seguir para acessar o *link* "Publicação de livro e KDP Select na Amazon". Todas as instruções facilitam o trabalho de quem pretende fazer a publicação sozinho.

Material complementar

Leia o QR Code ao lado e entenda como criar um livro na Amazon KDP.

3. Impressão sob demanda

Também conhecidas pelo termo em inglês *print on demand* ou, simplesmente, POD, são soluções para quem não quer apostar na produção de uma grande tiragem em uma gráfica. Os livros vão para impressão à medida que os pedidos são realizados nas lojas *on-line*. Estas empresas permitem a venda de produtos sem necessidade de grandes tiragens ou investimentos em estoque.

Funciona assim:

Cadastro e criação do projeto: o autor pode se cadastrar na plataforma sozinho e preparar o arquivo do livro seguindo as especificações recebidas, como formato, dimensões, resolução de imagens etc. Porém recomendo buscar o auxílio de profissionais. No mínimo um capista, um diagramador e um revisor para a produção da obra com qualidade.

Publicação e personalização: o escritor pode personalizar a capa e as informações do livro, como o título, a sinopse e a categoria. As plataformas também permitem a definição do preço de venda e a margem de lucro por exemplar vendido.

Impressão sob demanda: quando um consumidor faz o pedido, a plataforma envia o arquivo da obra para uma gráfica parceira ou uma unidade de impressão associada. Um exemplar é impresso e enviado direto ao comprador sem dependência do escritor em mais nada.

Distribuição e envio: as plataformas lidam com logística e distribuição, garantindo que os livros cheguem aos compradores de forma rápida e eficiente.

Pagamentos e comissões: a plataforma cuida dos pagamentos referentes aos títulos vendidos, deduz os custos e as outras taxas e repassa o valor combinado para o autor.

As principais plataformas de impressão sob demanda no Brasil são: Clube de Autores, UmLivro e Uiclap.

Faça uma pesquisa e identifique qual se encaixa mais no seu perfil, leia as recomendações e compre algumas obras para avaliar qualidade da impressão e prazo de entrega.

4. Impressão em gráfica

Para imprimir em gráfica sem intermédio de uma editora, o livro precisa estar diagramado, com a capa e todos os elementos necessários, no formato e na configuração de cores corretos, de acordo com diversos fatores. Esse caminho não é indicado para autores leigos em processos de editoração.

⇨ #dicadalilian: o escritor precisa conhecer os tipos de corte possíveis, saber sobre qualidade de papel e métodos de impressão. É arriscado fazer esta parte sozinho, a não ser que entenda de *design*, diagramação e processos de impressão. Você deve contratar profissionais para cuidar disso, mesmo que vá realizar vendas pelo seu próprio *site*, em palestras, escolas ou caso já tenha pontos comerciais definidos. As grandes livrarias se fecham a autores independentes, além do custo para distribuir a obra pelo Brasil ser muito alto. Por isso, não se empolgue! Quando você consultar o valor por unidade impressa direto na gráfica, pode cair na armadilha de comprar muitos exemplares, não conseguir vendê-los e acabar com caixas de livros parados em casa.

Quais os tipos de papel mais usados?

Pólen®: é *off-white* de textura encorpada, sem ser grosso. Dá volume ao livro e não pesa. É mais confortável para a leitura.

Offset: é branco e lembra o sulfite. Porém, é menos poroso e absorve mais tinta. Funciona melhor para publicações com muitas imagens e fotografias. Possui baixo custo e tem uma grande variedade de gramaturas.

Couchê: resistente, garante uma impressão com cores mais vivas. Pode ser fosco ou brilhante. É conhecido popularmente como o papel tipo revista.

Como escolho o formato do meu livro?

Para definir as medidas da obra, você deve considerar características como o número de páginas, a gramatura do papel que será utilizado e também o público-alvo. O formato mais comum é o 14,8x21.

Dimensões mais comuns de livros

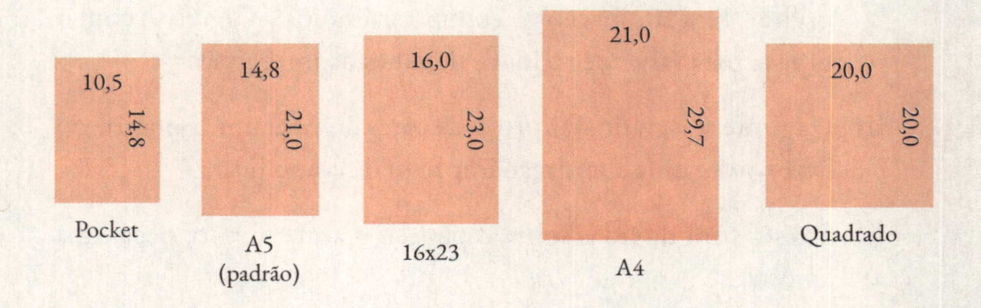

(Medidas em centímetros. Pode haver variações de acordo com a gráfica.)

O que preciso saber antes de enviar o arquivo para a gráfica?

- ❑ Faça todas as revisões de texto e ajustes necessários antes de enviar para impressão.
- ❑ Antes mesmo da diagramação, consulte a gráfica para orientação sobre o formato do arquivo, os acabamentos disponíveis e a forma adequada para fechamento do arquivo.
- ❑ De preferência, coloque o profissional que vai contratar em contato com a empresa.
- ❑ Verifique se a diagramação está correta, preste atenção em detalhes como o enquadramento, a qualidade das fotos e ilustrações, as margens, o espaçamento do texto, formato e recuo, a legibilidade das fontes e de outros elementos gráficos, como largura, altura e tamanho da lombada. Mesmo que tenha contratado um excelente profissional, confira os arquivos.
- ❑ Como será o acabamento? Capa dura? Vai imprimir em *offset* ou pólen? É um livro que vai utilizar o papel couchê fosco ou com brilho? Terá laminação[58]? Verniz localizado[59]? Converse com o capista para saber de todos os detalhes da impressão.
- ❑ Pergunte se a gráfica faz prova de cores ou peça um "boneco" do livro, que é uma simulação impressa de como ficará.
- ❑ Se está com dúvidas sobre o papel e o acabamento, peça uma amostra.

---

58. Assemelha-se a uma película e é aplicada nas capas dos livros para dar um aspecto brilhoso ou opaco.

59. É um acabamento gráfico que torna algumas partes do *design* mais brilhosas, especialmente quando refletem luz.

- [ ] Converse com a gráfica e pegue o manual da empresa com todas as diretrizes. Reúna as informações e faça a ponte com o *designer*. Não tenha pressa de imprimir.
- [ ] Avalie os livros que tem em casa para descobrir suas próprias preferências. Tamanho, cores, tipos de papel, elementos visuais etc. Compartilhe com a gráfica para decidirem em conjunto o papel, os acabamentos e os enobrecimentos.
- [ ] Esse é o momento de checar os detalhes. Faça orçamentos e sempre avalie a impressão de outras publicações da gráfica escolhida antes de fechar um contrato de grande tiragem.

Como escolher uma gráfica?

Sugiro que peça, no mínimo, três orçamentos. **Na LC – Design & Editorial**, indicamos nossos parceiros da Gráfica Rocha, Colorsystem, Walprint e Impressul. Descubra também as que estão perto de você, por conta da logística. Como em tudo o que se quer contratar, busque recomendações e referências. Verifique a impressão, a qualidade e os prazos da gráfica. É um tanto óbvio, mas não custa falar: analise o portfólio e leia as avaliações deixadas por outros clientes no *site* e nas redes sociais.

Checklist para solicitar um orçamento:

- Formato com largura e altura em centímetros (tamanho fechado);
- Tipo e gramatura do papel de capa;
- Tipo e gramatura do papel de miolo;
- Cores usadas na capa e no miolo;
- Número de páginas do miolo (sempre múltiplo de quatro);

- Elementos para acabamentos e enobrecimentos;
- Local de entrega;
- Tiragem desejada para impressão.

Na prática, cuidados com a impressão

Nunca imprima uma grande tiragem sem antes aprovar o arquivo final – melhor ainda se puder receber um exemplar do livro impresso (boneco). Observe se as cores saíram como você esperava, se a diagramação precisa de ajustes, se há algum erro de português na capa e outros detalhes que passaram despercebidos.

É muito comum a gráfica mandar o arquivo digital, por conta do custo do envio da obra. Olhe tudo com muita atenção antes de aprovar, pois trata-se de um processo industrial. Lembrando também que a prova e/ou boneco nunca serão 100% iguais ao impresso final, visto que, muitas vezes, a prova é feita em máquina de prova e o material final é impresso em outro maquinário. No caso de grandes tiragens (impressão *offset*) e na impressão digital ou sob demanda, a prova/boneco não trará alguns acabamentos, como a laminação, por exemplo.

Se estiver tudo certo com o projeto, dê o *ok* para a impressão e veja o livro ganhar vida! Caso seja um autor independente, escolha a gráfica com cuidado e não peça uma tiragem alta, a menos que você tenha um grande público à espera do título. Imprima apenas o necessário e, se esgotar, encomende uma nova tiragem. O custo por exemplar vai ser maior, porém, é melhor diminuir a margem de lucro do que arriscar. Exemplo:

Vamos supor que invista R$ 2.000 para imprimir 200 exemplares (R$ 10 cada um) e venda todos a R$ 40; nesse caso, o lucro bruto será de R$ 6.000. Mas se gastar R$ 4.000 para imprimir 800 exemplares (pela metade do valor unitário) e conseguir vender 200 livros ao mesmo preço, terá um lucro menor (R$ 4.000).

Perguntas frequentes do escritor (FAQ): contrato

Quais tipos de contratos existem neste mercado?

- **Prestação de serviço:** mais comum em editoras de autopublicação, deixam claro que o autor contratou a empresa para trabalhar em seu projeto e ele arca com os custos da produção. Serve também a escritores independentes ao contratar serviços de terceiros, como diagramadores, capistas, entre outros profissionais da cadeia do livro.
- **Licenciamento:** ocorre quando as editoras compram os direitos de uma obra estrangeira e a publicam no país ou nos países em que atuam.
- **De editora tradicional:** a casa editorial assume todos os custos de publicação e, em troca, o autor concede os direitos da obra pelo tempo vigente no contrato.

Tenho o direito de negociar o contrato?

É incontável a quantidade de autores que relataram ter vergonha de negociar o contrato de publicação. Jogue esse pensamento para escanteio! Acredite, se quiser: as editoras já esperam a negociação de alguns pontos. Nada está lavrado em pedra. Tem uma ideia ou noção básica de como quer o projeto final? Ótimo! Compartilhe durante a reunião. Alinhe expectativas e realidade. Talvez a referência não dê certo, mas o chefe da equipe editorial tem uma sugestão melhor. Quando incentivo a negociar, não me refiro a sentarem a uma mesa silenciosa e verificarem item por item do contrato. É você chegar à reunião com as suas considerações. Defenda seu ponto de vista com dados, pesquisas ou, até mesmo, com o que tem observado no mercado. Notou como o hábito de pesquisar pode te livrar de algumas "armadilhas"?

O que analisar?

Guarde o *checklist* a seguir, pois você deve sempre consultá-lo antes de fechar acordo com uma editora. Para facilitar, trago em tópicos os pontos a discutir e a definir por escrito:

Parte editorial:

- ❑ A editora usará algum recurso luxuoso no *design*, como *Hot Stamp*[60]?
- ❑ O livro será impresso em *offset* (papel branco) ou pólen (papel amarelado)?
- ❑ O acabamento será em brochura ou em capa dura? A escolha influenciará no preço final da obra?
- ❑ O livro terá uma versão digital (*e-book*)?

Publicação e distribuição:

- ❑ Qual será a tiragem, ou seja, quantos exemplares serão impressos inicialmente?

60. *Hot Stamp* (ou *Hot Stamping*) é um processo de impressão que deixa partes do livro com efeito metalizado. Geralmente é aplicado no título, subtítulo ou nome do autor.

- [ ] A editora tem parceria com alguma distribuidora? Se sim, com quais?
- [ ] Em quais livrarias físicas (no Brasil e no exterior, se for o caso) o livro será distribuído?
- [ ] As versões impressas e digitais estarão disponíveis em *marketplaces* como Submarino, Magazine Luiza e outros?
- [ ] Haverá pré-venda em alguma livraria *on-line*? Se sim, qual estratégia é indicada?
- [ ] A editora organiza o lançamento presencial em livraria? Qual apoio dará nesta etapa?

Divulgação e vendas:

- [ ] A editora participa de feiras e festas literárias? Quais e quando é a próxima? Os autores são convidados? Precisam pagar algo para participar?
- [ ] A empresa tem um time para trabalhar o *marketing* do livro? De que forma? Em quais redes sociais? Por quanto tempo? A obra será divulgada na imprensa, blogs e influenciadores?
- [ ] Com que periodicidade a editora prestará contas sobre as vendas? Quanto mais frequente, melhor. Assim você receberá *royalties* antes e poderá reinvestir em *marketing*. Porém, mais importante ainda é saber se as ações têm funcionado. Caso contrário, mude a rota.
- [ ] Em editoras tradicionais, o mais comum é pagarem, a título de *royalties*, 10% do preço de capa (valor de venda para o consumidor final) do livro físico. Qual é o percentual para os *e-books*?

Proponha um contrato híbrido, em que a comercialização da versão digital seja sua responsabilidade exclusiva.

- ❑ A editora concede descontos para o escritor na compra do próprio livro? De quanto? Caso queira, considere a possibilidade de fazer vendas diretas. É comum praticarem o preço das livrarias (entre 50% e 60% de desconto). Mas tudo depende, é claro, de negociação.

Direitos autorais entre editora e escritor:

- ❑ Por quanto tempo os direitos da obra ficam com a editora?
- ❑ Você pode publicar outros livros com outras casas editoriais? Algumas colocam cláusula de exclusividade. Avalie o que busca para sua carreira. Se é uma parceria boa, siga em frente.
- ❑ Por quanto tempo o contrato será vigente? Qual o valor da multa em caso de rescisão?

Perguntas frequentes do escritor (FAQ): impostos

Existem várias formas de manter as obrigações em dia com o leão! Vou explicar o básico, pois não sou contadora e todas as regras aqui podem mudar. Aliás, é importante que procure um profissional de contabilidade.

Se vende livros esporadicamente, seja *on-line* ou não, recebe em dinheiro ou Pix, fique tranquilo porque a Receita Federal não vai bater à sua porta. Para ter uma referência, você deve se preocupar quando a soma de tudo o que recebe no mês chegar a cerca de R$ 2.000[61]. A partir daí,

61. Pessoas físicas que, considerando todas as fontes de renda, têm rendimentos abaixo de R$ 2.112 são isentos de imposto de renda. Esse valor pode mudar todos os anos.

fica obrigado a fazer a declaração anual de Imposto de Renda e nela deve informar os ganhos obtidos por meio da venda de livros. A alíquota vai depender dos demais rendimentos obtidos no ano.

As comercializações realizadas por algum *e-commerce*, como Amazon ou plataforma de impressão sob demanda, terão o imposto da venda do produto pago pela loja. Apenas a parte recebida por você deve ser declarada como *royalties*.

Caso venda livros habitualmente, então deve abrir uma empresa usando o CNAE 4761-0/01 (livreiro independente) e fazer o enquadramento no MEI (Microempreendedor Individual). Neste caso, você pagará apenas um valor mensal fixo por volta de R$ 70. O limite de faturamento, nesta opção, atualmente é de R$ 81.000 por ano, atendendo à maioria das situações. Quem fatura mais que isso deve desenquadrar para microempresa (ME) e aplicar o regime tributário Simples Nacional.

É o caso também de quem já é sócio de outra empresa. As microempresas de comércio pagam cerca de 3% sobre o faturamento em uma alíquota que aumenta em função do faturamento.

Em ambos os casos, é possível usar o mesmo CNPJ para faturar outros serviços que um escritor pode prestar, como revisão, tradução etc.

Existe ainda a possibilidade de adotar o lucro presumido como regime tributário ou mesmo lucro real. De qualquer forma, esse é um tema que pode ficar complexo para quem tem várias fontes de renda ou participa de empresas. Na dúvida, sempre consulte um contador.

Audiolivros

Fones de ouvido, o acessório tão característico da geração Z (nascidos entre 1997 e 2009), vão além do entretenimento quando o assunto é audiolivro. A demanda por praticidade transforma o formato em uma maneira conveniente de conhecer novas histórias e absorver conhecimento.

Diversas empresas se destacam no Brasil com a produção de livros narrados. Nomes como Tocalivros, Ubook e Storytel contribuem para o crescimento do mercado no país. Já o Audible, maior distribuidor de audiolivros do mundo, já disponibiliza um catálogo em português, mas ainda não recebe títulos de autores independentes residentes no Brasil.

Confira detalhes das etapas de produção:

1. Pré-produção: profissionais fazem uma triagem editorial e roteirizam o texto original para adequá-lo ao formato narrado.
2. Produção: escolha do narrador, gravação do áudio e edição.
3. Pós-produção: são incorporados efeitos sonoros e trilhas musicais. Por fim, o audiolivro é divulgado e comercializado em plataformas como o *site*/aplicativo da produtora ou outras plataformas digitais.

Wattpad

Você já conhece o aplicativo gratuito que conecta 85 milhões de leitores e escritores por meio de histórias? Uma das grandes vantagens do Wattpad é poder publicar textos de qualquer gênero e categoria literária sem custo e com uma relação de *feedbacks* instantâneos dos leitores. A plataforma, acessível pelo computador, celular ou tablet, tem ganhado espaço e notoriedade no mercado do livro, pois muitos optam por publicar conteúdo no aplicativo para construir audiência.

É o caso de vários *best-sellers.* Iniciaram por ela e depois foram convidados a publicar por grandes casas editoriais, como a norte-americana Anna Todd, que escreveu a saga *After.* O primeiro livro da série alcançou mais de 1,6 bilhão de leituras *on-line* e se tornou o mais lido do Wattpad. Após tamanha repercussão, recebeu o convite para lançar a versão física pela Simon & Schuster. Aqui no Brasil, a obra chegou por meio do selo Paralela, da Companhia das Letras. Com o sucesso nessa plataforma de leitura social, brasileiras como Lilian Carmine, Mila Wander, Camila Moreira, Nana Pauvolih, Juliana Parrini e Rô Mierling encontraram espaço em notáveis editoras.

Financiamento coletivo: a forma de conquistar patrocinadores para o lançamento do projeto

Já imaginou ter diversas pessoas, conhecidas ou não, que torcem e apoiam a publicação do seu livro? Graças à evolução do mercado editorial, agora isso pode acontecer. O *crowdfunding*, também conhecido como "financiamento coletivo", é uma forma de levantar recursos para viabilizar a publicação de um livro. As plataformas Catarse, Kickante e Benfeitoria são as mais conhecidas e usadas pelos brasileiros.

Um modo simples de explicar é que o autor, ao criar uma campanha no *site* escolhido, define a meta (R$), faz uma apresentação curta e atrativa do livro, de preferência com a capa e sinopse completa. O diferencial é que todo apoiador ganhará uma recompensa em troca do dinheiro investido. Cabe a você escolher quais serão os brindes: marcadores de página, exemplares do livro, chaveiros, nome nos agradecimentos...

Deixe a criatividade correr solta nesta hora

Saiba que, para bater a meta, é fundamental traçar antes a estratégia de *marketing*. Não fique com receio de divulgar a campanha aos amigos e familiares (sua primeira rede de apoio). Esse trabalho diário deixará você mais perto de alcançar seu objetivo.

#dicadalilian: explore e amplie o *networking*. Faça parcerias e declare que está em CAMPANHA. A vergonha deve ser a menor preocupação durante a jornada. Foque na meta!

Para aprofundar-se ainda mais no tema, recomendo o livro *Crowd, o Guia do Financiamento Coletivo para Autores e Editores de Livros*, de Valquíria Vlad e Marina Avila, publicado pela Editora Wish. A Marina também é professora no meu curso **Escritores Admiráveis** e dá aulas práticas sobre o financiamento coletivo e como criar uma campanha de sucesso.

Conselhos para quem quer publicar no exterior

Embora Paulo Coelho seja um exemplo notável de escritor brasileiro que alcançou um estrondoso sucesso mundial, não é fácil publicar fora do Brasil. Mas também não é impossível!

Existem fatores a serem considerados ao se lançar mundo afora, como o idioma, a promoção e o alcance do autor. Se esse é o caminho que deseja seguir, precisa dançar conforme a música:

Mercado editorial: cada país possui sua própria indústria editorial e preferências literárias. Lançar um livro em um novo mercado requer entender especificidades, como as editoras locais, os hábitos de leitura e os interesses do público-alvo. Ou seja, nem tudo o que funciona aqui é válido em outros países, e vice-versa.

Idioma: se o livro foi originalmente escrito em português, é necessário traduzi-lo para o idioma do país onde pretende lançar. Pode ser um desafio manter a qualidade e a essência da obra original. Isso envolve encontrar um profissional qualificado e ter custos adicionais.

Promoção e marketing: para lançar internacionalmente, é preciso criar uma estratégia completa que envolva a divulgação do livro a leitores, jornalistas, blogueiros e influenciadores relevantes no país de destino.

Rede de contatos: estabelecer contatos e conexões com profissionais do setor editorial ou agentes literários dispostos a representar o autor é primordial. Participe também de feiras do livro e festivais literários internacionais, que podem ajudar a construir essas conexões.

Reconhecimento dentro de casa: ter um histórico de lançamentos bem-sucedidos no país de origem pode facilitar as oportunidades internacionais. Ganhar prêmios literários, ser bem recebido pela crítica ou ter uma base de fãs significativa no Brasil desperta o interesse das editoras e/ou agentes estrangeiros.

Agentes ou agências literárias: contar com um representante para indicar sua obra pode abrir muitas portas, ainda mais no mercado estrangeiro, em que a negociação é toda feita por meio desses profissionais. Aqui no Brasil, entre as mais conhecidas do setor, está a Agência Riff, que movimenta grande parte da entrada de livros internacionais no país e a saída de obras em português. Outras agências, como Villas-Boas & Moss e Authoria Agência Literária & Studio, também são responsáveis por levar autores brasileiros a serem publicados em diferentes países.

Editoras internacionais no Brasil

Os quatro principais grupos editoriais internacionais no Brasil são:

- Penguin Random House — uma das maiores do mundo, está presente no país por meio de suas várias marcas e selos adquiridos, entre os quais estão a Companhia das Letras e a Editora Objetiva com os selos Alfaguara e Suma de Letras.
- HarperCollins — é uma editora global conhecida por publicar uma ampla variedade de gêneros literários, incluindo ficção, não ficção, romance, suspense, entre outros. No Brasil, opera com o selo HarperCollins Brasil, cujos vários livros tive o prazer de divulgar.
- Grupo Planeta — o maior grupo editorial da Espanha e o quinto maior do mundo presente em vários países. A Planeta está no mercado brasileiro com diversos selos: Planeta, Essência, Paidós, Academia, entre outros.
- Grupo Almedina — está no mercado desde 1955, com as editoras Almedina, Edições 70, Actual e Minotauro, além de uma rede de 12 livrarias em Portugal. No Brasil, é representado pela Almedina Brasil, empresa do grupo que expande a operação dos quatro selos editoriais.

Editoras do Brasil com parceria internacional

Cada vez mais temos editoras brasileiras em parceria com grupos internacionais, agências e coagentes literários. Os escritores publicados pela Citadel Grupo Editorial, por exemplo, também podem ter seus títulos representados pelo selo Del Fondo Editorial, graças ao grande acordo que viabiliza a distribuição dos *best-sellers* da casa por toda a América

Latina. Autores como Clóvis de Barros Filho, William Sanches e Davi Lago (além dos clássicos de Napoleon Hill, claro) compõem o catálogo internacional da Citadel. Recentemente, a editora também lançou um selo em Portugal com o objetivo de levar seus escritores brasileiros às terras lusitanas.

Iniciativa que vai aquecer ainda mais nosso mercado: a plataforma Clube de Autores inaugurou a maior rede de distribuição do mundo por meio do projeto Rodovias Literárias para que livros autopublicados possam ser vendidos em diversos países com custo de logística e impressão local. Até o fim de 2023, serão 17 gráficas e 30 diferentes lojas e marketplaces que integrarão a rede, inteiramente focada em autores independentes.

Ah, só lembrando que no Capítulo 17 (Caminhos da Publicação), expliquei também como é disponibilizar a obra impressa via Amazon. com para pessoas que moram fora do Brasil, ou seja, não é preciso ficar limitado à Amazon Brasil.

Fique atento às possibilidades que se abrem a todo instante!

O escritor tá ON!

Pesquise antes se o tema do seu livro será bem aceito no país. Publicar um romance erótico em uma região mais conservadora pode não ser uma boa ideia. Oferecer para um agente literário americano o novo Harry Potter também não vai funcionar. Se for para lançar internacionalmente, entenda que o mercado vai querer algo original e ainda questionar: se é tão bom, por que não foi publicado no país de origem? Os editores brasileiros recomendam: primeiro consiga destaque em seu país e depois pense em expandir. Acontece assim com grande parte dos autores que têm conquistado espaço no mercado internacional.

Anote qual caminho de publicação acredita ser o ideal para seu projeto. Se necessário, liste os prós e contras das opções e faça uma escolha consciente. Coloque também o que precisa para avançar com a opção definida.

“O registro autoral *é a forma mais simples de você ser reconhecido(a) como autor(a) e reivindicar seus direitos em caso de uma violação autoral.”*

— Samuel Batista
(advogado da Câmara Brasileira do Livro)

18.

Direitos autorais

Ninguém deseja o plágio. É compreensível, pois escrever um texto original exige foco e dedicação. Outro ponto que gera muita frustração é ver o livro ser distribuído de graça em portais e grupos piratas pela internet.

O primeiro conselho: nada de perder o sono por isso. Há PDFs inteiros disponibilizados e, mesmo assim, os títulos ainda registram boas vendas *on-line* e nas livrarias. Por isso, siga em frente, escreva, faça um bom *marketing e* publique!

A maioria dos países tem leis que protegem o autor, inclusive o Brasil.

Primeiro ponto: tenha em mente que o direito autoral sobre o livro não depende de registro.

É o que diz a Lei de Direitos Autorais (Lei n. 9.610/98), no artigo 18º. Porém, registrá-lo ajuda a comprovar e assegurar o ineditismo. Ou seja, você poderá usar o registro como garantia de que foi o primeiro a escrever aquele texto e que, portanto, é seu.

Recomendo que faça o registro na Câmara Brasileira do Livro.
Leia o QR Code ao lado e visite o site da CBL.

É um processo simples, barato e *on-line*. Pode ser feito por qualquer pessoa, não apenas pelo escritor. Quem realizar o registro pode indicar até 50 participantes como coautores. Ao enviar o arquivo, ele deve estar em formato PDF e ter, no máximo, 300 MB. O certificado fica pronto em até dois dias após a confirmação do pagamento. É possível ainda indicar *tags*, que são palavras-chave relacionadas à obra, como "saúde", "fantasia", "felicidade", "corrida", "esporte" etc.

Segundo a Lei de Direitos Autorais, não existe proteção de nomes e títulos isolados. Por isso, é comum haver duas ou mais obras com o mesmo título. Para evitar problemas jurídicos – e de comunicação –, recomendo fazer uma busca por livros com temas semelhantes ao que escolheu.

Em relação à segurança do arquivo ao fazer o registro, fique tranquilo: a CBL não tornará público o conteúdo da obra. Com base no arquivo enviado, será gerado um código conhecido como *hash*. Ele ficará armazenado na rede *blockchain*[62] e vale como prova na Justiça de qualquer país.

O Brasil é signatário da Convenção de Berna desde 1922. Isso significa, entre outras questões, que os direitos autorais garantidos aqui são válidos nos 180 países que assinaram o tratado. Caso tenha em mente publicar e distribuir internacionalmente, é necessário conhecer as particularidades dos países onde pretende atuar. Cada um tem as próprias legislações e regras específicas.

Garantido quem é o autor da obra, há dois direitos a serem observados:

- O **direito moral** garante a proteção da integridade e da autoria da obra. Existe um vínculo eterno entre autor e obra. O escritor sempre terá seu nome atribuído a ela, não importa quanto tempo tenha passado desde a publicação, nem mesmo se a obra já está em domínio público. O criador jamais poderá renunciar, vender ou doar esse direito.
- Já o **direito patrimonial** trata dos aspectos econômicos, como reprodução, distribuição e tradução. Esse direito pode ser negociado, cedido ou licenciado. A proteção é de 70 anos após a morte do escritor, com exceção de obras anônimas ou pseudônimas. Nesses casos, é contado o prazo de 70 anos a partir da primeira publicação.

Existem algumas exceções criadas para equilibrar os interesses dos autores com os da sociedade. Por exemplo, é permitido o uso de obras

62. A *blockchain* é como um livro de registros em que todos conseguem verificar a autenticidade e veracidade dos dados. A tecnologia *blockchain* é muito confiável porque impede a troca ou alteração de dados.

protegidas para fins educacionais, para ilustrar conteúdo e sem fins lucrativos, além das citações, desde que com a devida referência.

Se for publicado por uma editora, você deve negociar e registrar em contrato o direito patrimonial para garantir o maior proveito possível do livro. Como indicado, leia com atenção a proposta comercial e o contrato. Garanta que suas dúvidas sejam respondidas por *e-mail*, pois, se necessário, terá como utilizar juridicamente em caso de divergência entre as partes.

“O plano mais seguro é **não depender da sorte.”**

— Napoleon Hill (Quem Pensa, Enriquece)

19.

Distribuição, divulgação e o marketing do livro

Saiba como acontecem essas etapas nas editoras tradicionais e nas plataformas *on-line* que oferecem impressão do livro sob demanda. Trago também estratégias para o uso de mídias sociais, *marketing* digital, participação em eventos literários e parcerias com livrarias e bibliotecas. Descubra nas páginas a seguir as possibilidades existentes para alavancar as vendas.

As sete exposições do seu livro

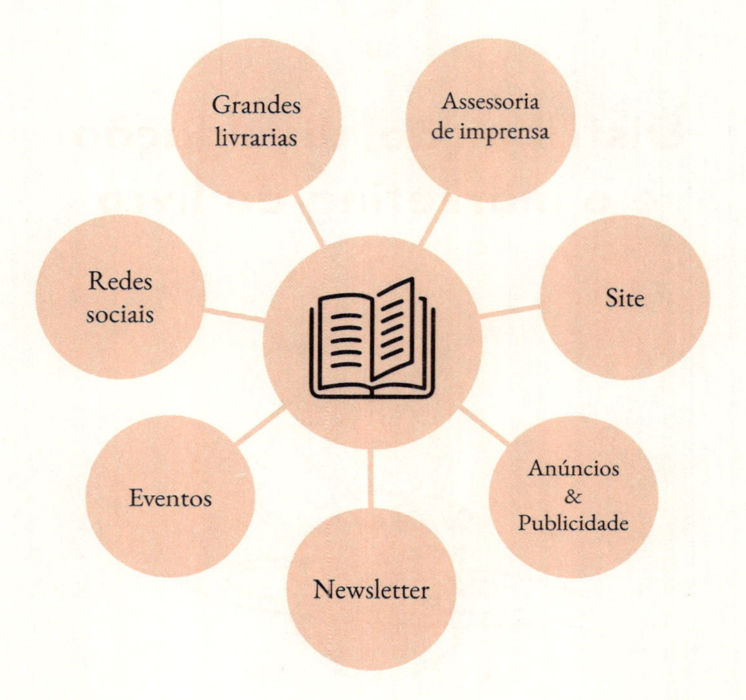

Como funciona a distribuição em livrarias físicas

Depois da publicação, o sonho da maioria dos escritores é ver o livro exposto nas livrarias. Entendo esse sentimento. Com tantos anos nos bastidores do mercado literário, sempre fico orgulhosa quando vejo uma obra nacional distribuída nas melhores livrarias, seja de forma virtual ou nas lojas físicas.

Caso também carregue esse sonho, o mais indicado é publicar por uma editora tradicional. A logística por trás dessa exposição é muito maior do que o consumidor final imagina. As editoras possuem parcerias diretas com livreiros e distribuidores e imprimem a obra em larga escala. Além disso, aplicam estratégias para manter o baixo custo de toda a operação e a melhor oferta no preço final. Considere: o prejuízo também é muito maior caso o projeto não decole. Entende por que a seleção é rigorosa das publicações de grandes tiragens?

Ser um autor independente não o impede de ter seu livro nas livrarias, mas terá de contatar uma a uma e precisará abrir uma empresa para conseguir emitir nota fiscal. A título de curiosidade, conversei com a equipe da Associação Nacional das Livrarias (ANL), que compartilhou que existem quase três mil livrarias só no Brasil. Na maioria das vezes, o acordo entre escritor e livreiro é feito em consignação, ou seja, você disponibiliza ao estabelecimento alguns exemplares e o pagamento acontece, em média, 60 dias após as vendas. A livraria ficará com uma porcentagem do lucro de 35% a 65%. Precisa considerar ainda o custo de logística para todos estes processos.

No Brasil, as distribuidoras fazem este elo entre livrarias e editoras. Elas são responsáveis pelo armazenamento e entrega dos livros. Desta forma garantem às redes livreiras o abastecimento dos mais vendidos e dos lançamentos. As mais conhecidas no país são: Catavento, Loyola, Inovação, Vitrola e Disal[63].

Caso busque parcerias sem o intermédio de uma editora, entre em contato com essas empresas e verifique se há alguma abertura ou programa de distribuição de livros de escritores independentes.

Para o autor independente

Vale lembrar que, desde 2022, as livrarias exclusivamente virtuais são o principal canal de vendas de livros físicos e digitais no Brasil. E aqui o jogo muda... A autonomia é muito maior. As plataformas de impressão

63. A lista completa de distribuidoras brasileiras está disponível em: https://www.publishnews.com.br/fornecedores/9/32/0/0. Acesso em: 04 jul. 2023.

sob demanda enxergaram esse cenário e passaram a colocar os livros à venda em *marketplaces* virtuais. Com um simples cadastro, você venderá na Amazon, na Estante Virtual, no Magazine Luiza, no Submarino e em muitos outros canais. Esta modalidade também torna o lucro do autor maior, já que não precisará destinar parte das vendas para uma distribuidora ou livraria. E se você tiver um *site*, melhor ainda! Coloque o *link* para compra nele também.

Caso possua exemplares em casa para comercializar, pode usar a Amazon como canal de vendas. É necessário criar uma loja e cuidar de todo o empacotamento e logística, além de cumprir o prazo de sete dias úteis para o envio do produto. Caso contrário, o pedido será cancelado e você não receberá o pagamento.

Quem já vende na Amazon pode contar com a distribuição da plataforma para o despacho do livro por um dos três programas: a FBA – Logística da Amazon, a FBA Onsite – Logística da Amazon e a DBA – Delivery by Amazon[64]. Como os dois primeiros são um pouco burocráticos, comece pelo DBA.

Dicas para envio de livros

A melhor opção atualmente para entrega de livros no Brasil é a modalidade Registro Módico dos Correios. Nela, há uma redução tarifária aplicada ao serviço de Registro Nacional. Para quem deseja vender pelo próprio *site*, pela sua rede social ou por alguma loja parceira, enviar por esse modelo reduz consideravelmente os custos de logística.

---

64. Para informações atualizadas, acesse: https://venda.amazon.com.br/cresca/dba.

Vendas para o Governo

O Programa Nacional do Livro e do Material Didático (PNLD), do Ministério da Educação, é um caminho para os livros serem distribuídos às escolas públicas de todo o Brasil. Além dos didáticos, podem também participar obras literárias, desde que atendam aos requisitos específicos de cada edital. A editora precisa estar apta a participar do programa ao realizar a inscrição. Se a obra for aprovada, ela fará parte do Guia Digital do PNLD e as escolas poderão escolher entre as publicações aprovadas. Caso tenha interesse nesse tipo de divulgação, converse com a editora antes de lançar sua obra para saber se ela faz esse trabalho.

A minha praia: divulgação do livro

Um dos grandes desafios, depois de publicar o livro, é descobrir como trabalhar para promover a obra. A dúvida aumenta devido a três principais fatores: estar sozinho nessa caminhada, não conhecer como funciona o mercado e não saber as estratégias de *marketing* que pode aplicar.

Na primeira parte do livro, reforcei a importância de investir, logo no início da carreira, na formação de uma base de leitores. Isso é particularmente importante para quem não tem *networking* e deseja ser amplamente reconhecido. Mas não se preocupe, pois neste capítulo trago pontos-chave para tirar de letra esta etapa sem precisar ser um *expert* do *marketing* ou um vendedor nato.

Entre as exposições para dar mais visibilidade ao livro está o serviço de **assessoria de imprensa**. O trabalho, na maioria das vezes, é executado por um profissional da área da comunicação e consiste em levar a mensagem do cliente até a imprensa e seus canais, como instituições e organizações. Sabe aquele escritor que você viu/ouviu/leu numa entrevista? Então, ele pode ter conquistado aquele espaço por meio de uma assessoria ou da editora. Um serviço indispensável a quem busca inserções em jornais, revistas, emissoras de rádio e televisão, portais de notícias, *blogs*, entre outros espaços de mídia *on-line*.

Esta atividade tem contribuído há décadas na propagação e divulgação de livros no Brasil e no mundo. Por meio da imprensa, muitos títulos são reconhecidos tanto pelas indicações das próprias obras, em críticas literárias, quanto pelas entrevistas que valorizam o nome do autor. No Brasil, há agências como a minha que contam com profissionais focados no mercado do livro e têm diversas ferramentas para otimizar e viabilizar o trabalho.

"O escritor pode fazer sozinho este trabalho?"

No curso **Escritores Admiráveis**, ensino meus alunos a promoverem a obra e buscarem esses espaços de mídia espontânea, ou seja, sem pagar nada para o veículo. Apesar de ser uma ação simples de executar, exige dedicação, organização e um bom preparo jornalístico. É preciso saber conversar com os colegas da redação, oferecer a pauta de acordo com a linha editorial do veículo, assim como ter os contatos de cada um. Por isso, esse serviço é, na maioria das vezes, contratado pelos autores e editores.

A forte presença de blogueiros, *tiktokers* e influenciadores literários, e outras personalidades nos temas relacionados aos livros, nas redes sociais fez com que as agências estreitassem o relacionamento com eles. É fundamental que um bom trabalho de assessoria de imprensa considere os *digital influencers*, além da mídia tradicional (jornais, rádios e revistas).

O escritor tá ON!

Esse trabalho pode não trazer resultado direto em vendas, mas sempre gera o que chamamos no marketing de prova social[65]. O escritor deve aproveitar toda a mídia conquistada e compartilhar no site, nas redes sociais e até nas próximas publicações. A imprensa desempenha, ainda, o importante papel de consolidar uma obra, além de ser uma ponte até o leitor. Por isso, acertar a mídia que tem mais a ver com o público-alvo é essencial para obter melhores resultados. Mas isso não quer dizer que deva negar oportunidades em veículos menores. Considere que toda participação ajudará você a treinar, por exemplo, a maneira como se porta nas entrevistas. Nesta semana, enquanto escrevo esta parte do livro, uma autora foi chamada para dar uma palestra para 200 pessoas porque a organizadora do evento viu uma matéria dela no jornal da cidade.

65. Provas sociais são elogios, *feedbacks* e/ou depoimentos de pessoas sobre determinado produto. É uma estratégia muito utilizada no *marketing* digital.

"Vale a pena investir em publicidade?"

Depende. Há campanhas com grandes investimentos em publicidade que não dão o retorno esperado e outras que são assertivas em todas as etapas. Existe um padrão nos projetos bem-sucedidos: planejamento com antecedência. Ao estruturar a divulgação com investimento em publicidade, é preciso calcular o ROI[66] de cada ação, mas considere também o ganho que a exposição do seu nome vai trazer à sua marca pessoal.

O foco tem de ser sempre no leitor, com um olhar atento para não investir demais num tipo de propaganda comercial e ficar sem verba para fazer outras ações que poderiam gerar mais e melhores resultados. Como o percentual das vendas que retorna não é exorbitante, é preciso ter cautela e evitar frustrações. Nenhuma publicidade pontual provoca um *boom* no livro. Se fosse assim, qualquer um faria sucesso com uma grande propaganda paga. Já vi livros que tiveram investimento na casa de centenas de milhares de reais e não deslancharam.

Por isso, as alternativas que sugiro adiante são mais recomendadas a quem está no início da carreira. Anúncios pagos em comerciais de TV, rádio, jornais e revistas têm um custo altíssimo se comparados com ações de assessoria de imprensa, por exemplo. Digo isso com conhecimento de causa, pois é o principal serviço oferecido pela minha agência. Verifique os valores praticados nas tabelas de propagandas pagas e irá tirar suas próprias conclusões.

Quantos anúncios com divulgação de livros na televisão você já viu, por exemplo? Não é comum encontrar tanta publicidade nesse mercado, com exceção das grandes casas editoriais, que investem nos livros-aposta[67]

66. Sigla para *Return on Investment* (retorno sobre investimento). É uma métrica que mensura quanto uma empresa ganhou com os investimentos feitos.

67. Termo utilizado pelas editoras para se referir aos títulos em que fazem investimento expressivo em *marketing* e comercial. Em geral, são obras que têm uma tiragem na casa dos milhares e são distribuídas pelo Brasil todo.

(*outdoors*, placas, painéis digitais, anúncios em pontos de ônibus e estações de metrô).

Anúncios na internet

A publicidade *on-line* oferece múltiplas opções, incluindo anúncios em *sites*, resultados de pesquisas (como Google), vídeos, *e-mail* e, é claro, redes sociais. Porém, é muito difícil precisar o retorno sobre o investimento ao considerar no cálculo apenas o valor obtido pela venda e o total gasto.

Ao realizar uma campanha de tráfego pago[68], o escritor deve estar ciente dos outros benefícios além do faturamento. Alguns são tangíveis, como número de curtidas em redes sociais e quantidade de visitas ao *site*. Manter redes sociais com bom engajamento é algo que pode ser avaliado por jornalistas, editores, agentes literários e pelos próprios leitores.

As redes mais utilizadas hoje pelo mercado literário para anunciar livros são Facebook, Instagram e TikTok. Elas têm opções de publicidade pagas que permitem direcionar anúncios com base em interesses, demografia e comportamento do usuário.

"Por que devo estar presente nas redes sociais?"
Para não perder a oportunidade de ter a comunicação direta com o leitor.

68. Como a ação de investir em anúncios na internet é chamada. Já estratégias de tráfego orgânico são as que acontecem sem investimento direto do anunciante.

Já tinha pensado assim? Aproveite para abrir o livro, publicar as histórias, trazer por meio dos seus textos, vídeos e áudios o que deseja compartilhar com o mundo. Trabalhe a imagem pessoal sem perder a essência. É só notar o movimento das marcas que estão atentas ao consumidor e sabem, além de vender, trazer transformação, gerar comunidade e o principal: ouvir o cliente para melhorar ou criar novos produtos.

Comecei em 2010 a trabalhar na divulgação de livros por meio das redes sociais. Naquela época, estavam em alta Twitter e Facebook. Pude acompanhar o *boom* dos blogs literários: tudo começava com leitores, geralmente adolescentes, animados para compartilhar opiniões sobre as obras que liam. Os relatos eram tão intensos e pessoais que criavam um senso de comunidade entre pessoas apaixonadas por literatura e com vontade de debater tudo sobre o assunto. Eles deram voz a uma variedade de gostos e opiniões, além de se tornarem alternativas às mídias de comunicação tradicionais.

Este movimento é extremamente importante para a divulgação da literatura de uma forma mais diversificada, conforme novas redes vão surgindo, migrando e se adaptando às novidades. Foi assim que apareceram os *bookgrammers* e, posteriormente, os *booktokers* – fenômenos originados pelos blogs! Livros e Fuxicos, Nuvem Literária, Livraria em Casa, Literature-se, Vá ler um livro, Ler Antes de Morrer e Pam Gonçalves são exemplos de influenciadores que nasceram durante tais transições e que fortalecem até hoje pautas do setor.

Pedro Pacífico, Paulo Ratz, Rodrigo de Lorenzi, Tatiana Feltrin, Isabela Lubrano, Leoni Lane e Karine Leôncio estão entre os nomes que se destacam quando o assunto é influenciadores literários originados na internet. O primeiro, conhecido como Bookster, com mais de 435 mil seguidores só no Instagram, deixou de ser apenas consumidor de literatura para tornar-se o criador de uma nova história: estreou como escritor em 2023.

Não sei se é por conta da nossa facilidade para socializar, mas o brasileiro é um povo adepto das redes sociais assim que surgem. Com escritores é a mesma coisa. Eles gostam de interagir entre si em comunidades do Facebook, criam grupos no WhatsApp para autores e ficam à disposição dos leitores em suas contas do Instagram.

"Lilian, qual a melhor rede social para mim?"

Depende. Onde seu leitor está? Conheça as principais utilizadas hoje no Brasil e fique atento ao surgimento de novas plataformas:

Instagram: rede social da Meta (dona também do Facebook) e uma das mais populares no mundo, com mais de 1,3 bilhão de usuários. É uma plataforma de inspiração e conteúdo, que investe frequentemente em novas linguagens. Nela, você pode explorar diferentes formatos para criar material relevante sobre seu livro. É a minha preferida e, por isso, pode já seguir a @liliancardoso para ver como converso com minha audiência.

X, antigo Twitter: com mais de meio milhão de usuários ativos, é uma das pioneiras e tem como principais objetivos o compartilhamento de opiniões rápidas e o estímulo ao diálogo. Chamamos cada publicação de *tweet*[69] porque, quando foi lançada, só aceitava textos curtos. É uma rede difícil de conquistar seguidores, mas muito boa para compartilhar ideias, histórias rápidas e até trechos impactantes do livro que tenham potencial de viralização.

69. Equivalente a "piado", o som que o passarinho faz.

TikTok: ganhou notoriedade no Brasil durante a pandemia e atingiu a marca histórica de 1 bilhão de usuários ativos em 2021. Seu principal objetivo é o de engajar por meio de vídeos curtos. Por isso, elabore conteúdos criativos, que fujam dos padrões e chamem a atenção já nos primeiros segundos. Considere, principalmente se escreve ficção, os perfis de *booktokers* para potencializar as vendas de livros. Participe e esteja atento a este movimento.

YouTube: plataforma do Google que hospeda vídeos desde 2005. Quando você faz uma pesquisa no buscador, os resultados em vídeo do YouTube também aparecem. Isso é uma grande vantagem sobre o Instagram e o TikTok, onde as publicações perdem relevância horas depois de publicadas. São mais de 2,5 bilhões de usuários ativos e é um canal utilizado por escritores e pelo mercado de livros em geral. Há muita oportunidade de conteúdo denso, já que atrai, em especial, pessoas interessadas em aprender temas específicos.

LinkedIn: conta com mais de 900 milhões de membros ativos e é amplamente utilizado por profissionais de diversas áreas, que compartilham reportagens, artigos, experiências e opiniões sobre suas especialidades. Os executivos de grandes empresas marcam presença ao, no mínimo, publicar seus currículos. Além disso, serve como um ponto de contato para relacionamentos profissionais, contratações e outros negócios. Muitas pessoas estão nessa rede, mas não são alcançadas pelas demais. Há inúmeras oportunidades de conexões e conteúdo para criar e explorar!

Pinterest: voltada à inspiração visual e descoberta de ideias. Possui cerca de 250 milhões de usuários ativos, que buscam referências em diversas áreas, como moda, decoração, gastronomia e estilo de vida. É uma plataforma repleta de oportunidades para criar e explorar conteúdos visualmente atrativos e cativantes, inclusive capas de livros!

O escritor tá ON!

Invista em uma rede social de cada vez. Quando tiver marcado presença firme na primeira, explore outro canal. Utilize no seu perfil, de preferência, o seu nome e não pseudônimos ou heterônimos. Evite também criar uma conta para cada livro publicado. Ter vários perfis significa dividir audiência, e, toda vez que lançar uma obra, precisará formar um novo público. Lembre-se: deixe visível onde está o link para a compra do livro.

Faça também

Parceria com perfis literários: você vai encontrar pessoas apaixonadas por literatura em redes sociais como Instagram e TikTok. Elas recomendam livros, discutem temas literários e fazem resenhas, e muitas têm seus próprios clubes de leitura. No Instagram, por exemplo, os perfis literários geralmente postam fotos de livros, resenhas, citações inspiradoras, recomendações de leitura, além de compartilharem informações sobre eventos literários, lançamentos e notícias do mundo dos livros. Os perfis podem ser pessoais, de blogueiros, de editoras, de livrarias ou até mesmo de autores que desejam se conectar diretamente com os leitores. No TikTok, costumam compartilhar vídeos curtos nos quais os criadores discutem assuntos relacionados aos livros, fazem resenhas rápidas, recomendam leituras, contam curiosidades e, inclusive, criam conteúdo, como encenações de trechos de livros ou desafios literários. Enviar o livro para esses formadores de opinião pode ajudar na promoção e divulgação, mas é importante saber: alguns canais fazem isso gratuitamente e outros cobram pela publicidade. Você deve identificar quais os temas que o perfil busca para não indicar, por exemplo, um livro de autoajuda para o influenciador com um público focado em ficção científica.

Palestras e eventos: o escritor deve ir até onde estão os leitores e se fazer presente em espaços como universidades, escolas, instituições governamentais e não governamentais, ONGs, instituições de ensino, associações comerciais e demais entidades que tenham conexão com o tema da obra. As feiras literárias e eventos do setor também devem ser considerados no seu plano de divulgação. Caso não possa viajar, aproveite a agenda da sua cidade.

Envios para influenciadores: esta ação de *marketing* é muito adotada por marcas conscientes que desejam gerar impacto de um produto por meio da indicação de celebridades ou autoridades no tema. Na nossa agência, sempre enviamos exemplares dos lançamentos das editoras a influenciadores. Indico o envio de uma carta personalizada e um brinde, se possível. Cuidado para o presente não ficar mais chamativo que o livro (conto isso porque já vi acontecer).

É possível realizar essa ação sozinho, sem contratar um profissional ou uma empresa. O primeiro passo é fazer uma lista prévia dos influenciadores com bom número de seguidores e engajamento, que falem do tema e costumem indicar leituras. Ordene pela quantidade de seguidores e entre em contato pela própria rede social. Mande uma mensagem personalizada a cada um para ter mais chances. Você também pode se oferecer para produzir conteúdo em parceria ou mesmo convidar para uma *live* juntos. Quanto mais famoso, mais difícil. Evite pedir endereços residenciais quando não for um conhecido seu. Solicite o endereço do assessor ou de alguma agência que o representa. Não se esqueça de fazer uma abordagem amigável e pergunte se ele aceita receber um exemplar da sua obra. Alguns, inclusive, já disponibilizam a caixa postal no perfil da rede social ou no *site*, o que otimiza o tempo de pesquisa.

Mas lembre-se: isso não garante a divulgação e, como não é uma publicidade paga, o influenciador vai postar no tempo dele e se gostar do livro. Se você enviar para 30 e apenas um influenciador divulgar, já pode comemorar. Imagine quanto seria para fazer uma publicidade paga num perfil como o da ganhadora do maior *reality show* do Brasil, Juliette Freire Feitosa, com milhões de seguidores? Ela divulgou espontaneamente o livro *Amores, Marias, Marés,* do meu aluno e escritor Chico Fonseca, que publicou pelo Grupo Editorial Pensamento por meio do concurso literário do curso Escritores Admiráveis. Foram vários envios para muitas pessoas por meio da nossa agência e time de marketing da editora. Com esta ação tivemos a alegria de ver a influenciadora agradecer o presente com a publicação de um vídeo no Instagram. Se fosse um *publipost* (ação paga), nem cogitaríamos devido ao alto custo.

Você conhecia todas essas possibilidades para promover a obra?

Agora não há desculpas para não fazer a divulgação. Depois de passar por todas as etapas da produção do livro, não abandone uma das mais importantes: levá-lo até as mãos dos leitores. Conhecer os tipos de divulgação possibilita a escolha do caminho mais adequado ao seu perfil. Recomendo fazer testes e explorar esse universo amplo que a comunicação possibilita, seja para o ***marketing on-line***[70] ou ***off-line***[71].

---

70. Divulgação que acontece nos meios virtuais, como as redes sociais.

71. Estratégias de *marketing* que não estão relacionadas à internet, como *outdoors*, panfletagem, vitrines etc.

Quais redes sociais você vai usar para a divulgação?
Que tipo de conteúdo você publicará?

O *marketing* do livro não precisa ser um bicho de sete cabeças

Market, do inglês "mercado", pode ter surgido a partir do latim *mercatus* – o local onde acontecia a compra e venda de diferentes tipos de produtos. Hoje, apesar de o termo ter se popularizado e a maioria compreender a finalidade, permanece no imaginário de muitos o estereótipo negativo por conta de publicidades enganosas, que nada têm a ver com a prática aplicada pelos bons profissionais da área.

"O objetivo do ***marketing*** *é sempre melhorar a vida das pessoas e contribuir para o bem comum."*

— Philip Kotler

Quando comecei a trabalhar no mercado literário, percebi como muitos tinham pavor do termo. Alguns por vergonha, outros por acharem que oferecer a obra para alguém comprar seria invasivo demais.

"Se alguém quiser comprar, vai me procurar."

Tudo bem, mas o problema é: ninguém vai saber que você tem um livro para vender se ficar aí escondido atrás do computador.

Depois de um *workshop* que organizei, "Seu livro é um bom presente", desmistifiquei os conceitos de vendas para os escritores e recebi vários depoimentos após o evento, como os seguintes:

"Falei para o Uber que era escritor e ele comprou cinco livros meus."

"Vendi meu livro para as minhas amigas do pilates."

"A empresa do meu marido comprou 100 livros para presentear os colaboradores no fim de ano."

Todo mundo sempre busca algo para presentear: por que não um livro? Não há outra saída. Se quer que as pessoas saibam sobre suas obras, você precisa se promover.

O livro não vai voar da prateleira até a mão do leitor!

Quando nasce um escritor, nasce um leitor. ABRA SEU LIVRO!

Costumo dizer aos meus alunos: "Trabalhar o *marketing* do livro é fazer o *marketing* do bem". Se todos fizessem parte desse movimento de maneira mais constante e unida, certamente teríamos mais leitores. Nossa concorrência não está com quem é do próprio mercado, mas sim com a indústria do cinema, da moda, da beleza, por exemplo, ou da própria rede social, que prende a atenção do usuário por horas e horas. O mesmo que diz não ter tempo para ler, tem para maratonar séries e/ou jogar *Candy Crush*[72]. Às vezes, o leitor reclama do preço do seu livro, mas acabou de pagar uma pequena fortuna por um novo iPhone. Precisamos abrir a obra e apresentar seus benefícios, se quisermos vender mais.

Todo comércio utiliza o marketing, por que estamos atrasados? O livro precisa ser lido e, para isso, deve ser divulgado.

Existem mais de 80 tipos de *marketing*. Conheça os principais e como você pode se beneficiar desses ensinamentos em todas as etapas, da escrita à comercialização.

Na prática:

***Marketing* social:** o livro terá parte do valor de venda revertido a alguma ONG? Tem um propósito maior que vai além da entrega do conteúdo? Na campanha, mostre ao leitor a contribuição dele com a causa ao adquirir cada exemplar.

72. Jogo viciante e desafiador que consiste em combinar doces da mesma cor para eliminá-los do tabuleiro. Foi lançado em 2012 e desde então se tornou um dos jogos para celular mais populares do mundo. É um passatempo gratuito para jogar, mas oferece compras no aplicativo.

***Marketing* de conteúdo:** como o próprio nome já diz, o foco não é uma propaganda evidente, como "Compre aqui o meu livro!". A estratégia foca em produzir conteúdo de valor para atrair leitores a partir de temas relevantes ou instigantes da obra.

***Marketing* digital:** qual será a sua estratégia *on-line*? Investirá em envio para influenciadores? Posts impulsionados? E-mail *marketing*? Faça o plano da campanha no ambiente virtual.

***Marketing* humanizado:** pessoas se conectam com pessoas, fato. O mundo precisa cada vez mais de contatos reais. Cuidado para não robotizar as ações de *marketing*. Faça com que cada leitor se sinta acolhido e bem atendido. Abra o livro (e o seu coração).

***Marketing* viral:** tem algum meme em alta? Uma música que não para de tocar nas redes sociais? Uma notícia com grande repercussão na mídia? O objetivo dessa ação é atingir o maior número possível de pessoas e estimulá-las a compartilhar o conteúdo com a própria audiência. Mas só vale se o tema se conectar ao da obra.

No início deste livro, reforcei a importância de cuidar da marca pessoal e também fortalecer o conteúdo para gerar conexão com os leitores. Se ficou com dúvidas, volte ao começo e enxergue com outro olhar esse tema que vai transformar, de uma vez por todas, a divulgação do seu livro.

Como vai ser o plano de divulgação do seu livro?

Não esqueça de incluir os três tipos de *marketing* – pessoal, de relacionamento e conteúdo – para se conectar cada vez mais aos leitores.

Se você recebesse um *e-mail* com a mensagem de um autor dizendo que terminou seu livro e que precisa de ajuda na divulgação, como responderia? Veja como eu faço:

De: Lilian
Para: Escritor
Assunto: Terminei meu livro, você pode divulgar?
Parabéns! Fico feliz por você ter chegado até aqui. Só a gente que escreve, edita, e revisa, sabe como tudo isso dá um trabalhão, apesar de ser prazeroso. Imagino que, por toda sua dedicação, tenha feito um livro incrível e agora quer compartilhá-lo com o mundo, certo? Tenho uma boa e uma má notícia em relação às etapas a seguir. Vamos começar pela má notícia: eu não posso fazer sozinha a divulgação dele. Mesmo que contrate minha agência, faça uma consultoria ou um curso, preciso de você comigo em todas as etapas, combinado? Até com o apoio de uma agência, não há milagre. Você precisa fazer sua parte. A publicação não é o fim do processo. A boa notícia é que preparei aqui um compilado das estratégias aplicadas no dia a dia da LC – Agência de Comunicação. E o melhor: são técnicas testadas e aprovadas. Você já aprendeu como fazer a sua obra em ***O Livro Secreto do Escritor***, agora é hora de revisar algumas dessas etapas.

Outras podem soar como novas, mas quero que coloque em prática o aprendizado. Porque, como todos sabemos, conhecimento sem ação não traz resultados.

- **Público-alvo:** Quem são os leitores que mais se interessariam pela sua história? Conheça os gostos, interesses e hábitos de leitura deles. A compreensão permitirá o direcionamento das estratégias com eficácia. Toda essa pesquisa o ajudará a trazer o tom correto nos textos, nas imagens e nos vídeos.
- **Assessoria de imprensa:** conquiste entrevistas em portais *on-line*, *podcasts*, jornais impressos... Em geral, uma equipe de jornalistas se responsabiliza por esse trabalho de divulgação. O objetivo é gerar mídia espontânea, ou seja, o veículo se interessar pelo tema do livro e, depois, publicar sobre ele. É importante escrever um *release* atrativo e com uma chamada que gere curiosidade. Afinal, você quer chamar a atenção do pauteiro, certo? Aproveite as datas comemorativas e eventos relacionados ao seu livro.
- **Leitura coletiva:** os perfis literários podem ser seus maiores aliados. Reserve na agenda datas para fazer encontros com eles e debatam o seu livro. Envie antes a obra impressa ou então o *e-book* para garantir que quando comece a leitura todos estejam com o texto. A grande vantagem está nas resenhas que esses influenciadores podem produzir. Já anote aí para lembrar de pedir *collab*[73] nos *posts* deles.
- **Tenha um site:** além de compartilhar sua biografia e as informações do livro, inclua depoimentos dos leitores e disponibilize também os primeiros capítulos. Isso ajudará a construir uma base de fãs engajada e que tenha acesso ao seu trabalho.

73. É uma abreviação da palavra *collaboration*. No mundo do *marketing*, o termo também ficou muito usual para representar quando duas pessoas ou marcas se unem para desenvolver ou divulgar um produto ou serviço. No Instagram, *collab* é usada para *posts* em conjunto nos perfis.

- **Redes sociais para gerar conexão com os leitores:** escolha a plataforma com a qual você tem mais facilidade para publicar conteúdo. Utilize imagens atraentes e frases inspiradoras, e promova interações para aumentar o engajamento de acordo com os temas da obra. Anuncie os conteúdos com uma verba mínima para que eles alcancem mais pessoas. Como saber qual o melhor *post*? Testando. No *marketing*, é assim. Teste o tempo todo. Não tem fórmula pronta. Evite realizar sorteios de exemplares na fase de lançamento. Considere a possibilidade de fazer parcerias com outros escritores para expandir seu alcance.
- **Utilize e-mail marketing:** construa uma lista de contatos de leitores interessados no seu trabalho e envie *newsletters* ou atualizações regulares. Informe-os sobre lançamentos, promoções e novidades relacionadas ao seu livro.
- **Faça um book trailer:** vídeos são uma maneira atraente de divulgar um projeto literário. Produza um *book trailer* cativante que mostre os destaques da história e instigue a curiosidade dos espectadores para lerem toda a obra.

A divulgação precisa ser tão empolgante quanto foi a escrita. O segredo está em ser constante, autêntico e conversar com o leitor. Sempre digo aos meus alunos que os escritores têm uma vantagem, pois sabem contar histórias. Você só precisa, agora, utilizar a mesma criatividade investida na escrita do livro para publicar os conteúdos fragmentados nas redes sociais.

Boa sorte e sucesso com o projeto!
Aguardo notícias e o *link* para acessar a obra.
Lilian Cardoso

Trago a seguir o material exclusivo do meu curso **Escritores Admiráveis** com os estágios do funil de *marketing* e de vendas, que chamamos de Mandala Criativa. São mais de 40 ideias de *posts* com as etapas para atrair, engajar, converter e reter a audiência. Desenvolvi esse material com meu amigo e sócio Felipe Pillon para auxiliar na produção de conteúdo em todas as fases da divulgação.

Então, agora, sem mais desculpas!

Material complementar

Leia o QR Code ao lado e baixe o material "Ideias de posts para a Mandala Criativa".

"Toda ação é um passo à frente em relação a onde você estava. Não importa o tamanho do passo ou que você tropece no caminho.

O que importa é que continue caminhando."

— Ryder Carroll
(O método Bullet Journal)

20.

Checklist para nenhuma etapa escapar

A ideia da lista a seguir não é padronizar os processos de escrita, publicação e divulgação, mas dar a você liberdade de fazer escolhas. Assim, terá em mãos tudo o que indico priorizar em cada etapa da construção do livro, da concepção à divulgação. Muitos não obtêm o resultado desejado por não seguirem os processos editoriais – fases indispensáveis para os *best-sellers* e obras dentro das grandes casas editorais nacionais e internacionais. Consulte o *checklist* em todos os projetos literários daqui para a frente. Faça um "X" ao lado de cada tópico e confira, antes de o projeto ser publicado, se pulou algum.

Etapa 1 - Escrita

- [ ] Qual é o tema da obra?
- [ ] Quais são suas referências literárias?
- [ ] Pesquise (e leia) livros relacionados aos assuntos que vai escrever e responda: o que seu projeto tem de mais especial/diferente para os leitores?
- [ ] Você tem uma rotina de escrita definida? Um horário para se dedicar ao sonho/projeto literário?
- [ ] Ao organizar os primeiros passos da escrita, fique atento: os critérios para títulos de ficção e de não ficção são diferentes! Mapa de personagens, capítulos e pesquisas... É indispensável estudar as características de cada categoria literária.
- [ ] Organize as pesquisas em pastas e salve os *links*. Cuidado com a ferramenta que você escolher para não perder o progresso.
- [ ] Google Docs *versus* Word: há prós e contras em ambos. Teste-os e escolha aquele que julgar mais fácil de usar.
- [ ] Durante a escrita, não se apegue ao processo de diagramação. Deixe para um profissional formatar o *layout*.
- [ ] Fontes muito rebuscadas podem não ser uma boa opção para o projeto gráfico. Estude a diferença entre fontes serifadas e não serifadas, e escolha a que deixará a leitura mais dinâmica.
- [ ] Depois de terminar a escrita, encaminhe o material para um revisor. Uma leitura feita por outra pessoa também é recomendável. Avalie qual delas faz mais sentido para o tema da obra: leitura beta, crítica ou sensível.

- ❑ Como o leitor pode achar você nas redes sociais? Utilize um espaço próximo à sua biografia ou ao final da publicação para indicar os *links* dos seus perfis.
- ❑ A busca por erros de ortografia e gramática parece um trabalho infinito. Mas você deve se desprender disso. Faça a produção do conteúdo da melhor forma que puder, mas de forma livre. Depois passe para a revisão. Se vierem muitas correções, vai precisar de outra rodada até que se sinta seguro. Preste atenção nos horários em que é mais produtivo e como isso pode ajudá-lo a cometer menos erros e ainda impulsionar a criatividade. Uma dica: experimente a Clarice.ai[74], uma inteligência artificial treinada em português do Brasil.
- ❑ O título é a primeira coisa a ser feita. Ele carrega a ideia central, o tema. Mas tudo bem mudá-lo ao longo da escrita, pois a própria narrativa pode se modificar durante o processo e sua ideia pode amadurecer. De qualquer forma, ter um título, mesmo que provisório, manterá você no rumo planejado.

Etapa 2 - Publicação

- ❑ Decida qual caminho seguirá para publicar: editora tradicional, coparticipação ou independente. É importante conhecer os prós e contras de cada opção.
- ❑ Se for contratar uma editora ou profissionais, recomendo que pesquise bastante. Compre uma obra da editora ou peça o portfólio do profissional. Como para tudo na vida, você precisará de boas referências.

74. Acesse: https://clarice.ai e experimente gratuitamente a ferramenta.

- ❑ É fundamental saber sobre direitos autorais.
- ❑ Importante também fazer parte de uma comunidade de escritores ou ter profissionais do mercado que o apoiem na tomada de decisões.
- ❑ Capriche na embalagem: capa, texto de orelha, quarta capa... Faça uma lista com os elementos que um livro precisa ter e confira se incluiu todos.
- ❑ Comece pelo *marketing*! Lembre-se: a divulgação inicia muito antes de a obra ser publicada. Desperte na audiência o desejo pelo lançamento do seu livro.

Etapa 3 - Divulgação

- ❑ Organize *lives* com convidados. Os participantes devem ser estratégicos para agregar valor ao conteúdo e ao público.
- ❑ Coloque o *link* para compra do livro nas redes sociais.
- ❑ O lançamento presencial não é indicado para todos! Você tem convidados o suficiente para lotar o lugar? Uma base de leitores aquecida?
- ❑ Se for um autor independente, sem editora, saiba que algumas livrarias também abrem espaço para lançamentos. É preciso verificar a questão fiscal para a entrada do produto na loja e entender como fazer esse contato com os livreiros e donos de livraria.
- ❑ Pense em lugares além de livrarias para sediar o evento. Lembre-se: é uma celebração de lançamento que pode render boas fotos e vídeos.

- ❑ Comece a divulgação da obra para valer. Liste quais benefícios o livro trará para a vida do leitor.
- ❑ Ter uma boa rede de *networking* vai ajudá-lo na divulgação. Busque apoiadores.
- ❑ Agende eventos com pessoas que gostariam de ouvi-lo, mas, antes, pense bem no conteúdo e considere se, de fato, ele agregará algo ao público.
- ❑ Você tem facilidade de falar para um público maior? Se sim, cogite palestrar sobre o tema do seu projeto literário.
- ❑ Se ainda não começou a trabalhar no *marketing* pessoal, inicie o quanto antes. Enfrente a vergonha, leve sua voz aos leitores. Para não ficar cansativo, busque formas criativas de conversar sobre o livro.
- ❑ Invista em trabalhos de assessoria de imprensa para divulgar você e seu projeto na mídia, em *blogs* e junto a influenciadores. Esse tipo de ação é uma prova social do projeto. Ao enviar o livro, inclua uma carta, um *release* e, se possível, brindes.
- ❑ Peça aos leitores que avaliem a obra na Amazon ou em outras plataformas nas quais estiver disponível para compra. Você também pode usar esse material como prova social. Faça uma chamada atrativa, com uma boa legenda e imagem no *post*

Material complementar

Leia o QR Code ao lado e conheça ferramentas e aplicativos que ajudam os autores na era digital da escrita criativa.

O Livro Secreto do Escritor

Agora que já tem a base e muitas ferramentas para desenvolver seu livro, aproveite e escreva a seguir o que deseja realizar em sua carreira.

Sempre que **precisar** resgatar a essência, o propósito e os sonhos da sua vida, volte a esta página e releia. Esse é o meu segredo para não desistir e #seguirfirme.

Este livro é todo seu!

Você merece mais que apenas sonhar...

E evite compartilhar o livro antes de terminar. Só conte para quem lhe transmite confiança. Isso afastará comentários de sabotadores.

Parte III

Escritor, siga sozinho ou bem acompanhado...

Hora de ouvir você...

Primeiramente, quero agradecer por ter chegado até aqui. Sei que sua mente deve estar com um milhão de ideias, mas fique tranquilo! Este é um problema bom. Lembre-se de colocar tudo em prática, combinado?

Uma das melhores partes de ser um escritor é ouvir o que os leitores acharam do livro.

Claro que eu, uma canceriana raiz, também amo este momento e fico emocionada com cada *feedback* que recebo sobre o meu trabalho. Então, convido você a me contar o que achou da obra. Aproveite e fale sobre os seus livros (ou aqueles que pretende escrever).

Eu e o meu time preparamos um e-mail exclusivo para escutá-lo, e teremos o maior prazer em conhecer ainda mais sua trajetória.

É só nos chamar em: olivrosecreto@lcagencia.com.br

Posso fazer mais um pedido? Se gostou deste livro, ficarei muito grata em receber sua avaliação na Amazon. É só ler o *QR Code* abaixo para deixar o seu depoimento:

Agradecimentos

"Os mentores dão aos heróis motivação, inspiração, orientação, treinamentos e presentes para a jornada. Todo herói é guiado por alguma coisa, e uma história sem o reconhecimento dessa energia fica incompleta. Seja expresso por um personagem ou como um código de conduta internalizado, o arquétipo do Mentor é uma ferramenta poderosa nas mãos do escritor."

Christopher Vogler, A Jornada do Escritor: estrutura mítica para escritores.

Só quando fui reler este trecho, entendi o meu chamado para aventura e quem eram meus mentores.

Ao reviver minha jornada no mercado do livro nacional, percebo como fui privilegiada por trabalhar com tanta gente massa que sempre me ajudou tanto. Sem tantas oportunidades, ajudas, indicações e até puxões de orelha, eu não estaria aqui.

Tive um pouco de sorte também, mas dizem que só conseguimos aproveitar quando estamos preparados. E posso dizer: eu nunca dormi no ponto, pelo contrário, madruguei muito para chegar aonde estou. Digo mais: sempre estive disposta a aprender, mesmo que no primeiro momento eu tente provar que estou certa. Ao colocar a cabeça no travesseiro, volto atrás, e, humildemente, aceito que preciso mais do que ouvir, necessito colocar em prática. Nesta caminhada, encontrei muitos conselheiros, clientes e amigos que sempre me deram a mão nos momentos mais difíceis.

A primeira mão amiga quando abri a LC – Agência de Comunicação foi a da minha ex-sócia Barbara Ataíde, que esteve comigo no momento mais importante da minha vida: o nascimento da Catarina. Ela segurou todas as pontas e até mais responsabilidade que cabia a uma jovem jornalista. Foi uma barra difícil para nós duas, mas saiba: cada conquista hoje teve o cultivo dela. Gratidão, Babbi!

Faltariam páginas para caber tanta história, tantos agradecimentos, mas preciso deixar registrado o meu sincero obrigada a TODOS os colaboradores que ajudaram a construir a linda história da LC. Se sou referência no mercado do livro com este portfólio que gera respeito, reconhecimento e admiração, é porque foram vocês que me ajudaram a construir e avançar cada degrau. Muitos do meu time não me deixaram abandonar o barco, principalmente quando as tempestades chegaram. Pollyana, Adriane, Caroline, Naira, Yasmin e Cristina fizeram parte da jornada mais difícil da minha vida como empresária, período em que fiquei por dias na UTI, afastada por meses da empresa, e um recomeço difícil. Elas ficaram pela literatura, pela nossa missão e pela família LC. Meu amor a vocês.

Sempre, a cada fase, o time LC é reconhecido por remar junto, seja em dias de sol, seja em dias de maré baixa. Como diz a nossa coordenadora de *marketing* e *social media*, Giovanna: cada um que segure seu B.O. Gio, obrigada por me aturar há tantos anos. Seu trabalho dedicado junto ao time, autores e editoras leva o livro a lugares que jamais imaginaríamos chegar. Vamos seguir firmes pela cultura do nosso país.

Agradeço imensamente aos meus clientes. Em especial, à Editora Mundo Cristão, a casa editorial que está com a gente desde 2010. Muito obrigada ao diretor de operação, Renato Fleischner, pela confiança e parceria. Um carinho especial também à escritora, editora e empresária que admiro tanto Maíra Lot Micales, da Edipro, que está com a LC desde 2016.

É claro, não poderia ficar de fora meu agradecimento a Marcial Conte Jr. e a André Fonseca, da Citadel Grupo Editorial, por publicarem este livro e acreditarem, assim como eu, cada vez mais nos novos escritores. Poucos editores dariam tanta liberdade para que eu fizesse a obra do jeito que tanto sonhei. Pri, gratidão por topar as loucuras que inventei para o marketing e comercial deste livro. É uma alegria trabalhar com todos vocês e publicar por esta casa editorial tão prestigiada pelos leitores brasileiros.

Em especial, preciso dizer que este livro (o corpo da obra) só existe graças a duas pessoas que não largaram a minha mão do início ao fim.

Obrigada, Brenda. Saiba que tenho muito carinho por você. Uma colaboradora que virou amiga, apaixonada por livros, por escritores e escritoras, que faz minha rotina ficar mais leve nesta intensa missão. Meu braço direito no atendimento aos alunos e nas consultorias, mentorias, críticas literárias e de *marketing*. A profissional a qual tenho o privilégio de ter comigo nesta caminhada. Desde o primeiro dia em que a vi, acreditei no seu potencial. Ficamos trabalhando somente a distância pelo período da sua graduação em Escrita Criativa (PUC-RS), mas agora, com seu retorno ao dia a dia do escritório na LC, vamos nos dedicar ainda mais aos autores, autoras e demais clientes da casa.

Obrigada, Neto. Saiba que admiro demais tudo que faz pela gente. Enquanto escrevo estes agradecimentos, ele está lendo *A hora da estrela*, de Clarice Lispector. Tudo isso depois que pedi a ele para checar se a frase que coloquei aqui no livro estava certa. Confesso que, apesar de ter escrito em tempo recorde (não façam isso!), nos divertimos e vivemos o LIVRO diariamente por meses sem folga. Espero que a velhice seja generosa com a gente, porque nosso sonho é estarmos lado a lado numa varanda apreciando os títulos que ganhamos, compramos e os que já divulguei num eterno sarau literário. Te amo demais. Toda vez que estamos juntos, cada um com seu livro, antes de cairmos no sono, tenho a máxima certeza de que o universo não poderia ter sido mais generoso comigo. Aproveitando, desculpa sempre te acordar para contar algo maravilhoso que acabei de ler. Obrigada por resumir tantas obras de política comigo. Meu carinho também a minha sogra Rute e a minha cunhada Sabrina Passos, a jornalista que mais admiro e que tanto me ensinou, obrigada por dividirem este filho e irmão tão especial comigo. E ao Alberto, marido da Sá, que veio somar nos presenteando com nossa amada sobrinha Cora.

Aos meus pais, Carlos e Izabel, e irmãos, Nelson e Bruno, às minhas cunhadas Jerusa e Ledy, aos sobrinhos, Mateus e Anthony, enfim a toda minha família. O custo de cada projeto realizado como jornalista, assessora, empresária, novos cursos e viagens que fiz a trabalho percorrendo o Brasil com alguns autores e autoras, foi alto. Perdi muitas comemorações em família. Prometo, de coração, equilibrar os próximos passos para ficarmos mais tempo juntos. Tia Helena, aquele café vai sair, prometo. Amo muito você.

Por fim, ou melhor, a seguir, já que este livro é vivo e nos convida a contar histórias, agradeço imensamente ao meu sócio, que virou um irmão e grande amigo, Felipe Pillon. Sem você, o curso **Escritores Admiráveis** não existiria e nem outros tantos projetos que continuamos a produzir para os autores e autoras do Brasil.

Aos meus sócios e amigos, Beatriz e Márcio, que tiveram a coragem de embarcar nesta aventura com a nossa nova empresa do grupo, a LC Design & Editorial. Quando olhei esta capa, vi o capricho de vocês em cada detalhe. E é essa paixão que desejamos levar a cada cliente.

Para sempre grata ao nosso amigo Rodrigo R., da Gráfica Rocha, por apoiar esta publicação e acreditar neste projeto editorial.

Gabriela Kugelmeier, deu tempo! Você fez questão de madrugar até o ponto- final deste livro com a Brenda na minha casa para garantir que seria a versão final para a revisora. Eu precisava que alguém me desse limites, rs. Adoro as suas cobranças. Luana, o que seria da gente aqui sem suas atentas explicações que vão da literatura clássica à contemporânea? Nunca vou esquecer aquela nossa primeira Semana da Literatura Brasileira com mais de 7 mil participantes no meu canal do YouTube. Gratidão!

Carolina Tomaselli, nossa coordenadora na assessoria de imprensa, que tem segurado todas as pontas e aguentado quando eu meto a colher, afinal, você sabe que divulgar livros é a minha paixão. Este livro também faz parte da dedicação diária de vocês: Adam, Alessandra, Ana Paula, Beatriz Yamashita, Camila, Daniela, Dielin, Fran, Gabriela Bubiniak, Gabriela Cuerba, Genielli, Jeison, Julya, Luan, Maria Clara, Misael, Monique Silva, Monique Ortiz, Talya e Victor.

A minha amiga e publicitária Fernanda Dantas, pela parceria em diversos trabalhos de *marketing* desde o início da minha carreira.

No embalo, é claro, meu carinho aos alunos e alunas, que são parte da nossa comunidade e me fazem, todos os dias, seguir em frente.

E, finalmente, obrigada a você, meu caro leitor, por ter escolhido ***O Livro Secreto do Escritor***. Daqui, sigo em busca de novas histórias para escrever e divulgar. Sejam elas as minhas, ou as suas. Só não se esqueça de uma coisa depois de escrever:

ABRA O LIVRO...

Com carinho,
Lilian Cardoso

O Projeto Escritores Admiráveis

É um programa *on-line* com mais de 60 horas de aulas gravadas disponíveis a qualquer momento aos alunos. Trata-se do curso mais completo do mercado do livro construído a partir do meu método, dividido em sete módulos: autoconhecimento, *marketing* pessoal, a produção do livro, *marketing* literário, redes sociais, vendas e carreira.

- Publique e divulgue sua obra com as técnicas dos *best-sellers* e das grandes casas editoriais;
- Trabalhe de forma mais criativa os textos do seu livro com técnicas de escrita persuasiva;
- Tenha um olhar profissional para todos os elementos que devem compor o seu projeto;
- Potencialize as vendas com a participação em editais ou financiamento coletivo;
- Seja convidado a trabalhar com agentes literários, editoras e/ou produtoras de filmes;
- Aprenda a usar o *marketing* digital em seu favor.

Além das aulas, os alunos recebem como bônus listas exclusivas:

- Veículos da imprensa e perfis literários;
- Produtoras de filmes;
- Principais prêmios do nicho;
- Editoras do Brasil;
- Agentes literários.

Convido você a entrar no *site* por meio do *QR Code* abaixo e conhecer as histórias de Felipe Saraiça, Liliane Mesquita, Marcelo Felix e de tantos outros autores que fazem parte da comunidade dos Escritores Admiráveis.

Faça parte da comunidade Escritores Admiráveis

Leia o QR Code ao lado e conheça o curso que guia desde a ideia do livro até a divulgação.

O Grupo LC ao seu lado

A LC – Agência de Comunicação é a empresa mais completa do mercado do livro nacional, com soluções desde a escrita ao *marketing* para autores e editoras. Ou seja, cada projeto literário pode ser acompanhado em todas as etapas: a partir da ideia, com cursos e mentorias, até a publicação e divulgação da obra.

Antes de publicar:

Os cursos Escritores Admiráveis e Escritores Publicados vão ampliar a sua visão sobre o mercado do livro e direcioná-lo, passo a passo, no processo de escrita e construção do seu *marketing* pessoal.

Se o que procura é uma orientação totalmente personalizada, as mentorias e consultorias de escrita são ideais. Eu conduzo as sessões, individuais ou em grupo, para que você alcance o seu objetivo.

Quer investir no marketing pessoal e do livro antes mesmo de publicar a obra? Conte com a LC para trabalhar as suas redes sociais e desenvolver o seu *site*.

Durante a publicação:

A LC – Design & Editorial está pronta para dar vida ao seu livro. O estúdio editorial cuida da revisão, do *design* de capa, da diagramação, do cadastro na Amazon e na plataforma de impressão sob demanda, além da emissão de ISBN e ficha catalográfica com a CBL. E para os autores que desejam uma tiragem em gráfica tradicional fazemos o acompanhamento de todo o processo.

Depois de publicar:

Redes sociais, leitura coletiva, *site*, assessoria de imprensa... Todas as ações para divulgar o livro estão disponíveis na LC.

Na consultoria de marketing, o direcionamento é PERSONALIZADO e, com o curso Escritores Admiráveis, você aprende todo o passo a passo para divulgar uma obra.

Identificou quais das soluções precisa no momento? Entre no *site* e fale com a minha equipe. É só escanear o *QR Code* abaixo.

Esperamos por você e seu projeto!

Glossário do mercado do livro

Além do processo de escrita, publicação e divulgação, entender os termos técnicos dará ainda mais poder a você, escritor, para seguir com segurança em todas as etapas do projeto.

Separei, a seguir, os principais termos técnicos que usamos no mercado do livro e seus respectivos significados. Consulte sempre que precisar.

Parte externa do livro

- **Capa:** parte frontal de um livro onde ficará o título, subtítulo e nome do autor. Geralmente é o primeiro contato do leitor com a obra.
- **Cinta**: tira de papel que envolve todo o livro. É usada como estratégia de *marketing* e faz uma propaganda da obra. É comum ser encontrada em livros que foram adaptados para o cinema ou ganharam alguma premiação literária.
- **Guarda**: folha de gramatura mais grossa responsável por unir o miolo à capa do livro, mais comum em livros de capa dura. Costuma trazer uma ilustração diferenciada na guarda, como mapas.
- **Jacket:** sobrecapa que envolve todo o livro e pode ser retirada quando o leitor quiser. É mais utilizada em obras que foram adaptadas para filmes ou séries, pois colocam o cartaz cinematográfico no jacket.
- **Lombada:** elemento que liga a capa à quarta capa. Serve como revestimento para sustentar a costura ou o grampeamento de um livro. A depender da grossura, vai também o título da obra + selo da editora + nome do autor. Em livrarias, é a forma de localizar um livro pelo seu título.

- **Primeira orelha:** dobra esquerda de um livro, assemelha-se a um marca-páginas. Ali, devem estar a sinopse e/ou um trecho marcante da obra.
- **Quarta capa ou contracapa:** parte de trás do livro, ou seja, o verso. É o local onde vai um resumo da obra e o código de barras do ISBN. Também é utilizado para colocar os endossos.
- **Segunda orelha:** dobra direita de um livro com a foto do escritor e sua biografia resumida. Local ideal para incluir o *link* das redes sociais do escritor ou um *QR Code* de seu *site*.

Parte interna do livro (pré-textual)

- **Apresentação:** mais comum em livros técnicos, pois é uma página que explica o objetivo da obra.
- **Dedicatória:** pode ir logo após o verso da folha de rosto ou no final, principalmente se a obra for muito longa. Costuma ser um texto curto com o objetivo de agradecer aos apoiadores da obra (filhos, amigos, marido, esposa, leitores, pais...).
- **Epígrafe:** elemento opcional na obra. Coloca-se uma citação curta ligada ao tema central do livro.
- **Falsa folha de rosto:** primeira folha de um livro que contém somente o título da obra. Serve para proteger a folha de rosto.
- **Folha de rosto:** página com o título do livro traduzido + título no idioma original (opcional), subtítulo, nome do autor, nome do tradutor (caso haja) e logo/nome da editora. Se for uma nova edição da obra, indicará o número da edição e reimpressão.
- **Prefácio:** texto de apresentação do livro. Pode ser feito por uma pessoa influente ou autoridade no tema – ou pelo próprio escritor.

- **Sumário:** título dos capítulos na ordem em que aparecem e número da página onde iniciam.
- **Verso da folha de rosto:** parte técnica do livro com o número de ISBN, ficha catalográfica completa, ano de publicação, número da edição, crédito dos profissionais que trabalharam na obra (capista, diagramador, revisor, copidesque, tradutor e editor), informações da editora (caso tenha uma), crédito das imagens e ilustrações utilizadas, e declaração de *copyright*.

Parte interna (textual)

- **Cabeças**: aparecem no topo das páginas e intercalam entre citar o título do livro e o nome do autor ou o título do capítulo.
- **Capítulos:** divisão do conteúdo da obra.
- **Epílogo:** texto final que traz a conclusão do livro (em sua maioria, na ficção, retrata o contexto da obra após alguns meses ou anos depois do último capítulo). Também é usado para dar o "gancho" e ligar a uma possível continuação do projeto.
- **Fólio**: numeração das páginas. Só aparece a partir do primeiro capítulo, mas a contagem inicia desde a primeira folha da obra.
- **Notas:** são anotações extras no livro que explicam alguns termos estrangeiros ou expressões pouco conhecidas. Dão informações complementares sobre determinados temas, pesquisas e dados citados.
- **Prólogo:** página introdutória da história, tem o objetivo de despertar a curiosidade e contextualizar o enredo. Mais usado em obras ficcionais.

Parte interna (pós-textual)

- **Anexo:** contém mapas ou ilustrações específicas utilizadas no miolo.
- **Apêndice:** texto complementar que explica alguns termos ou a criação do universo do livro.
- **Bibliografia:** lista de materiais usados na elaboração do projeto. Inclui *sites*, livros, artigos etc.
- **Colofão:** geralmente, a última página do livro. Apresenta as informações técnicas, como papel, gramatura, gráfica, local e ano da impressão.
- **Glossário:** como este feito aqui, é uma lista de termos e suas explicações.
- **Índice:** listagem dos assuntos abordados em ordem alfabética.
- **Posfácio**: comentário ou consideração sobre o livro. Costuma ser escrito pelo próprio autor.

Termos gráficos:

- **Diagramação**: formatação e ajustes (fonte, tamanho) do texto, respeitando as margens e os espaçamentos para uma leitura confortável. Insere também elementos visuais ao longo das páginas.
- **Espaçamento entre linhas**: espaço entre as linhas do texto ou dos parágrafos.
- **Fonte serifada:** letras que têm traços ou prolongamentos no fim. Também conhecidas como "letras com perninhas".
- **Fonte/Tipografia:** estilo da letra utilizada no livro.

- **Formato**: dimensões da obra (altura e largura).
- **Gráfica:** empresa responsável pela impressão.
- **Linha enforcada:** quando uma sílaba fica sozinha no fim de um parágrafo.
- **Linha órfã:** ao contrário da linha viúva, é a frase que ficou sozinha no fim de uma página e o resto do texto continua na folha seguinte.
- **Linha viúva:** a última linha de um parágrafo que não coube na mesma folha e ficou sozinha na página seguinte.
- **Margem:** espaçamento entre as bordas e os textos. É padronizado e deve seguir o mesmo formato até o fim da obra.
- **Miolo:** folhas internas do livro.
- **Prova ou boneca(o):** amostra do livro impresso para o escritor ou a editora conferir as cores finais, a diagramação e todos os detalhes da obra antes de ser impressa em larga escala.
- **Rodapé:** parte inferior das folhas, contém o número de cada página.
- **Salto:** quando o texto é copiado e colado na ferramenta de diagramação e uma parte dele pode perder-se no caminho.
- **Sangria:** margem extra para garantir uma boa impressão e evitar erros de corte, especialmente da capa.

Termos editoriais gerais

- **Assessoria de imprensa:** organização que cuida da comunicação de uma empresa ou de um produto para rádios, jornais, portais *on-line* etc. É muito comum ter uma equipe de assessoria nas grandes casas editoriais.
- ***Book proposal*:** proposta de livro que é enviada às editoras com o intuito de fechar um acordo de publicação.
- **Capista:** profissional responsável pelo *design* de capa da obra.
- **Diagramador:** profissional responsável pela diagramação e *layout* do livro.
- ***E-book*:** livro digital (pode ser lido em celulares, *e-readers*, computadores...).
- **Editor:** profissional que trabalha dentro de uma editora e coordena todo o processo de publicação.
- **Editora de autopublicação/coparticipação:** casa editorial em que o autor paga pela publicação.
- **Editora tradicional:** casa editorial que arca com todos os custos de publicação.
- **Escritor independente:** autor que autopublica seus livros sem uma editora tradicional.
- **Ficha catalográfica:** ficha que contém todas as informações do livro e que facilita a catalogação a nível nacional.
- **Financiamento coletivo:** meio de levantar recursos e patrocínio para a publicação da obra.

- **ISBN:** sequência de números que identifica e cataloga um livro a nível mundial.
- **KDP:** Kindle Direct Publishing. Programa da Amazon para a publicação de livros digitais.
- **Leitor crítico:** profissional responsável por ler o livro e apontar melhorias no texto e enredo.
- **Registro de direito autoral:** certificação que comprova a autoria sobre um livro.
- **Revisor:** profissional que verifica e ajusta a gramática e ortografia.

Fique por dentro do mundo editorial

CBL: sigla para Câmara Brasileira do Livro, é uma associação responsável pela união de livrarias, editoras e demais profissionais do setor. Em seu portal, é possível emitir o ISBN, a ficha catalográfica e fazer o registro de direito autoral.

LIBRE: a Liga Brasileira de Editoras é uma rede que conecta diversas casas editoriais independentes. Com ampla atuação no mercado editorial, tem como objetivo lutar pelo acesso à leitura, defender os direitos dos editores, ser um centro de referência, entre outras ações.

SNEL: o Sindicato Nacional dos Editores de Livros cuida do estudo e da coordenação do meio editorial. É responsável por uma grande pesquisa do mercado literário chamada Painel do Varejo de Livros no Brasil.

PublishNews: um dos maiores portais de notícias sobre o universo do livro. Atualiza semanalmente a lista dos mais vendidos e traz novidades em primeira mão sobre diversos temas do mercado. Por ali, os profissionais podem ficar atentos ao que tem acontecido no setor e também aos prêmios e concursos literários.

Academia Brasileira de Letras: fundada em 1897, com um discurso de abertura do próprio Machado de Assis, a instituição responsabiliza-se pelo cultivo da língua e literatura nacional. Foi criada com o intuito de ser um ponto de encontro para escritores do século XXI.

ANL: com a missão de fortalecer o mercado livreiro, a Associação Nacional das Livrarias atua junto ao Ministério da Cultura e entidade editoriais. Dentro de todos os serviços e ações que realizam, está a organização do Anuário Nacional de Livrarias, uma pesquisa que oferece dados sobre as livrarias brasileiras.

Leituras recomendadas

ARCHER, Jodie; JOCKERS, Matthew L. *O segredo do best-seller*: Tudo o que você precisa saber para escrever um livro campeão de vendas. Tradução de Regiane Winarski. Bauru: Alto Astral, 2017.

BECKER, Howard S. *Truques da escrita*: Para começar e terminar teses, livros e artigos. Tradução de Karina Kuschnir. São Paulo: Zahar, 2015.

BENDER, Arthur. *Personal Branding*: Construindo sua marca pessoal. São Paulo: Integrare Editora, 2009.

BERGER, Jonah. *Contágio*: Por que as coisas pegam. Tradução de Lúcia Brito. Rio de Janeiro: Alta Books, 2020.

BHAT, Nilima; SISODIA, Raj. *Liderança Shakti*: O equilíbrio do poder feminino e masculino nos negócios. Tradução de Diana Murh. Rio de Janeiro: Alta Books, 2019.

BRIDGER, Darren. *Neuromarketing*: como a neurociência aliada ao design pode aumentar o engajamento e a influência sobre os consumidores. Tradução de Afonso Celso da Cunha Serra. São Paulo: Autêntica Business, 2018.

BROWN, Brené. *A coragem de ser imperfeito*: Como aceitar a própria vulnerabilidade, vencer a vergonha e ousar ser quem você é. Tradução de Joel Macedo. Rio de Janeiro: Sextante, 2013.

CARNEGIE, Dale. *Como fazer amigos e influenciar pessoas na era digital*. Tradução de Paulo Geiger. Rio de Janeiro: Sextante, 2020.

CARNIELLI, Walter A.; EPSTEIN, Richard L. *Pensamento crítico*: o poder da lógica e da argumentação. São Paulo: Rideel, 2019.

CHAMINE, Shirzad. *Inteligência positiva*. Tradução de Regiane Winarski. Rio de Janeiro: Objetiva, 2013.

CIALDINI, Roberto B. *As armas da persuasão*: Como influenciar e não se deixar influenciar. Tradução de Ivo Korytowski. Rio de Janeiro: Sextante, 2012.

CORTELLA, Mario Sergio. *Por que fazemos o que fazemos?* São Paulo: Planeta, 2016.

DUHIGG, Charles. *O poder do hábito*: Por que fazemos o que fazemos na vida e nos negócios. Tradução de Rafael Mantovani. Rio de Janeiro: Objetiva, 2012.

ELLIS, Sean; BROWN, Morgan. *Hacking Growth*: A estratégia de marketing inovadora das empresas de crescimento mais rápido. Tradução de Ada Felix. Rio de Janeiro: Alta Books, 2018.

FERRAZZI, Keith; RAZ, Tahl. *Nunca Almoce Sozinho*. Tradução de Pedro Elói Duarte e Carla Pedro. Coimbra: Actual, 2015.

GOLEMAN, Daniel. *Inteligência emocional*. Tradução de Marcos Santarrita. Rio de Janeiro: Objetiva, 2011.

GOLEMAN, Daniel. *Foco*: A atenção e seu papel fundamental para o sucesso. Tradução de Cássia Zanon. Rio de Janeiro: Objetiva, 2013.

HILL, Napoleon. *Atitude mental positiva*. Tradução de Lúcia Brito. Porto Alegre: Citadel, 2015.

HOLIDAY, Ryan. *O ego é seu inimigo*: Como dominar seu pior adversário. Tradução de Andrea Gottlieb de Castro Neves. Rio de Janeiro: Intrínseca, 2017.

KAHNEMAN, Daniel. *Rápido e devagar*: Duas formas de pensar. Tradução de Cássio de Arantes Leite. Rio de Janeiro: Objetiva, 2012.

KOTLER, Philip; KARTAJAYA, Hermawan; SETIAWAN, Iwan. *Marketing 4.0*: Do tradicional ao digital. Tradução de Ivo Korytowski. Rio de Janeiro: Sextante, 2017.

KUNDERA, Milan. *A arte do romance*. Tradução de Teresa Bulhões Carvalho da Fonseca. São Paulo: Companhia das Letras, 2016.

MACCEDO, Paulo. *Copywriting – Volume 1*: o método centenário de escrita mais cobiçado do mercado americano. São Paulo: DVS Editora, 2019.

MACCEDO, Paulo. *Copywriting – Volume 2*: A habilidade de ouro usada por milionários para transformar palavras em lucro. São Paulo: DVS Editora, 2020.

MATSCHING, Monika. *O corpo fala ilustrado*: Gestos reveladores e sinais eficazes. Tradução de Fernanda Romero Fernandes Engel. Petrópolis: Vozes Nobilis, 2014.

MATSCHING, Monika. *O corpo fala no trabalho*: Como convencer e cativar os outros. Tradução de Fernanda Romero Fernandes Engel. Petrópolis: Vozes Nobilis, 2017.

MUNHOZ, Júlia. *Instagram para Negócios*: Aprenda a vender todos os dias transformando seguidores em clientes. São Paulo: DVS Editora, 2020.

PHILLIPS, Christopher. *Sócrates café*: O delicioso sabor da filosofia! Tradução de Lúcia Brito. Porto Alegre: Citadel, 2015.

PROSE, Francine. *Para ler como um escritor*: Um guia para quem gosta de livros e para quem quer escrevê-los. Tradução de Maria Luiza X. de A. Borges. São Paulo: Zahar, 2008.

RACKHAM, Neil. *Alcançando Excelência em Vendas – SPIN* Selling. São Paulo: M.Books, 2008.

ROWLES, Daniel. *Digital branding*: Estratégias, táticas e ferramentas para impulsionar o seu negócio na era digital. Tradução de Afonso Celso da Cunha Serra. São Paulo: Autêntica Business, 2019.

RUSSELL, Bertrand. *Box História da filosofia ocidental*. Tradução de Hugo Langone. Rio de Janeiro: Nova Fronteira, 2015.

SINEK, Simon. *Comece pelo porquê*: Como grandes líderes inspiram pessoas e equipes a agir. Tradução de Paulo Geiger. Rio de Janeiro: Sextante, 2018.

TALEB, Nassim Nicholas. *Antifrágil*: Coisas que se beneficiam com o caos. Tradução de Eduardo Rieche. Rio de Janeiro: Best Business, 2014.

TEZZA, Cristovão. *Literatura à margem*. Porto Alegre: Dublinense, 2018.

VAYNERCHUK, Gary. *Vai Fundo!* Rio de Janeiro: Agir, 2010

WANDERSMAN, Aldo. *E Se Você Fosse Uma Marca?* Torne-se a primeira opção do seu mercado e conquiste seguidores fiéis através do branding pessoal. Rio de Janeiro: Alta Books, 2015.

ZINSSER, William. *Como escrever bem*: O clássico manual americano de escrita jornalística e de não ficção. Tradução de Bernardo Ajzenberg. São Paulo: Fósforo Editora, 2021.

Referências bibliográficas

ACADEMIA BRASILEIRA DE LETRAS; BECHARA, Evanildo C. *Dicionário da Língua Portuguesa*. São Paulo: Companhia Editora Nacional, 2008, p. 792.

ALVES, Rubem. *Ostra feliz não faz pérola*. 3 ed. São Paulo: Planeta, 2021, p. 10.

AVILA, Marina; VLAD, Valquíria; PENA, Raíssa. *Crowd, o guia do financiamento coletivo para autores e editores de livros*. São Caetano do Sul: Wish, 2020.

BARRETO, Lima. *Triste fim de Policarpo Quaresma*. São Paulo: Via Leitura, 2020.

BERGOGLIO, Jorge Mario (Papa Francisco). *Sabedoria das Idades*. São Paulo: Edições Loyola, 2018.

BERTOTTI, Fabiana. *Onde mora a felicidade?* São Paulo: Planeta, 2017.

BONIFÁCIO, Alex. *Pense grande:* Atitudes e valores de pessoas de alto desempenho. Caxias do Sul: Belas-Letras, 2023, p. 119.

BRANCO, Sérgio. *O domínio público no direito autoral brasileiro*: uma obra em domínio público. Rio de Janeiro: Editora Lumen Juris, 2011.

BRASIL ESCOLA. *Tipos de Narrativa*. Disponível em: <https://brasilescola.uol.com.br/redacao/tipos-narrativa.htm/>. Acesso em: 03 jul. 2023.

BRASIL. Lei n. 10.753, de 30 de outubro de 2003. *Institui a Política Nacional do Livro*. Brasília: Diário Oficial da União, 2003.

BROWN, Dan. *O Código Da Vinci*. Tradução de Maria Luiza Newlands da Silveira. São Paulo: Arqueiro, 2012.

CAMPBELL, Joseph. *O Herói de Mil Faces*. Tradução de Adail Ubirajara Sobral. São Paulo: Pensamento, 1989.

CARROLL, Lewis. *Alice no País das Maravilhas*. Tradução de André Christi. São Paulo: Mojo.org, 2019.

CARROLL, Ryder. *O método Bullet Journal*: Registre o passado, organize o presente, planeje o futuro. Tradução de Flávia Souto Maior. São Paulo: Fontanar, 2019, p. 241.

CLASON, George S. *O homem mais rico da Babilônia.* Rio de Janeiro: HarperCollins, 2017.

COELHO, Paulo. *Na margem do Rio Piedra eu sentei e chorei*. São Paulo: Paralela, 2018. Livro eletrônico, posição 2.185.

COELHO, Paulo. *O Alquimista.* Rio de Janeiro: Paralela, 2017.

COUTINHO, Afrânio. *Notas de teoria literária*. Petrópolis: Vozes, 2008, p. 23.

CUNHA, Euclides da. *Os sertões.* São Paulo: Martin Claret, 2017.

DERAM, Sophie. *O peso das dietas: Faça as pazes com a comida dizendo não às dietas.* Rio de Janeiro: Editora Sextante, 2018.

DÓRIA, Palmério. *Honoráveis Bandidos – Um retrato do Brasil na era Sarney.* São Paulo: Geração Editorial, 2012.

DVS EDITORA. *6 tipos de narrativa que todo escritor deveria conhecer.* 2022. Disponível em: <https://blog.dvseditora.com.br/6-narrativas-que-todo-escritor-deveria-conhecer/>. Acesso em: 03 jul. 2023.

ELROD, Hal. *O milagre da manhã*. Rio de Janeiro: BestSeller, 2016.

ERLIN, Padre Luís; SOUSA, Mauricio de. *Os Milagres de Jesus com a Turma da Mônica.* São Paulo: Editora Ave-Maria, 2020.

FAILLA, Zoara (Org.). *Retratos da leitura no Brasil 5*. Rio de Janeiro: Sextante, 2021, p. 63, 175, 215, 221.

FILHO, Clóvis de Barros. *Inédita pamonha*. Porto Alegre: Citadel, 2022.

FILHO, Clóvis de Barros; CALABREZ, Pedro. *Em busca de nós mesmos*. Porto Alegre: Citadel, 2017.

FILHO, Clóvis de Barros; COEN, Monja. *A felicidade é inútil*. Porto Alegre: Citadel, 2019.

FLYNN, Gillian. *Garota Exemplar*. Tradução de Alexandre Martins. 1. ed. Rio de Janeiro: Intrínseca, 2013.

GALLAND, Antoine. *As mil e uma noites*. Tradução de Alberto Diniz. Rio de Janeiro: HarperCollins Brasil, 2015.

GEORGE, Margaret. *Helena de Troia*. Tradução de André Bueno. São Paulo: Geração Editorial, 2009.

GOMES, Álvaro Cardoso. *A Hora do Amor*. São Paulo: FTD Educação, 2001.

GRANT, Adam. *Originais:* Como os inconformistas mudam o mundo. Tradução de Sérgio Rodrigues. Rio de Janeiro: Sextante, 2017, p. 227.

HEATH, Chip; HEATH, Dan. *Ideias que Colam*: Por que algumas ideias pegam e outras não. Tradução de Marcia Nascentes. Rio de Janeiro: Alta Books, 2018.

HELLER, Eva. *A psicologia das cores:* como as cores afetam a emoção e a razão. Tradução de Maria Lúcia Lopes da Silva. São Paulo: Gustavo Gili, 2013. p. 21, 47, 341.

HILL, Napoleon. *Quem pensa enriquece* – o legado. Porto Alegre: CDG, 2018, p. 163.

HOOVER, Colleen. *É assim que acaba.* Tradução de Priscila Catão. Rio de Janeiro: Galera Record, 2018.

HOOVER, Colleen. É assim que começa. Tradução de Priscila Catão. Rio de Janeiro: Galera, 2022.

HORNBY, Nick. *Uma longa queda*. Tradução de Christian Schwartz. São Paulo: Companhia das Letras, 2014.

JAMES, E. L. *Cinquenta tons de cinza.* Tradução de Adalgisa Campos da Silva. Rio de Janeiro: Intrínseca, 2012.

KEMP, Simon. *Digital 2023: Global Overview Report*. DataReportal. Disponível em: <https://datareportal.com/reports/digital-2023-global-overview-report>. Acesso em: 18 jul. 2023.

KING, Stephen. *Sobre a escrita*. Tradução de Michel Teixeira. Rio de Janeiro: Objetiva, 2015, p. 96.

KOTLER, Philip. KARTAJAYA, Hermawan. SETIAWAN, Iwan. *Marketing 5.0*: tecnologia para a humanidade. Tradução de André Fontenelle. Rio de Janeiro: Sextante, 2021, p. 5.

LAGES, Patricia. *Bolsa Blindada.* Rio de Janeiro: Thomas Nelson, 2013.

LISPECTOR, Clarice. *A hora da estrela*. Rio de Janeiro: Rocco, 2020, p. 24.

MADEIRA, Carla. *A natureza da mordida.* Rio de Janeiro: Record, 2022.

MADEIRA, Carla. *Tudo é rio.* Rio de Janeiro: Record, 2021.

MADEIRA, Carla. *Véspera.* Rio de Janeiro: Record, 2021.

MARSTON, William Moulton. *Emotions of Normal People*. Kegan Paul Trench Trubner And Company, 1928.

MARX, Karl. *O Capital - Karl Marx.* Tradução de Albano de Moraes. São Paulo: Edipro, 2019.

MATHERS, Edward Powys; TORQUEMADA. *A mandíbula de Caim*. Tradução de Myra Marple. Rio de Janeiro: Intrínseca, 2022.

MCSILL, James. *5 Lições de storytelling*: o *best-seller*. São Paulo: DVS Editora, 2017, p. 107.

MELO, Fabiola. *A culpa não é sua*. São Paulo: Mundo Cristão, 2019.

MENDES, Diego. *Comércio online de livros supera livrarias físicas pela primeira vez em 2022, aponta pesquisa*. São Paulo: CNN Brasil, 2023. Disponível em: <https://www.cnnbrasil.com.br/economia/comercio-online-de-livros-supera-livrarias-fisicas-pela-primeira-vez-em-2022-aponta-pesquisa/>. Acesso em: 20 jul. 2023.

ORWELL, George. *A revolução dos bichos: Um conto de fadas*. Tradução de Heitor Aquino Ferreira. São Paulo: Companhia das Letras, 2007.

PACETE, Luiz Gustavo. *Brasil é o terceiro maior consumidor de redes sociais em todo o mundo*. Forbes. Disponível em: <https://forbes.com.br/forbes-tech/2023/03/brasil-e-o-terceiro-pais-que-mais-consome-redes-sociais-em-todo-o-mundo/>. Acesso em: 18 jul. 2023.

RESHI, Ammaar. *Alice and Sparkle*. [S.l.: s.n.], 2023. Livro Eletrônico.

RHUAS, Pedro. *Enquanto eu não te encontro*. São Paulo: Seguinte, 2021.

RHUAS, Pedro. *O mar me levou a você*. São Paulo: Seguinte, 2023.

ROZSAS, Jeanette. *Kafka e a marca do corvo*. São Paulo: Melhoramentos, 2019.

RUSHDIE, Salman. *Os filhos da meia-noite*. Tradução de Donaldson M. Garschagen. São Paulo: Companhia das Letras, 2006. Livro eletrônico, posição 2.386.

SAINT-EXUPÉRY, Antoine de. *O Pequeno Príncipe*. Tradução de Dom Marcos Barbosa. Rio de Janeiro: Agir, 2016.

SARAMAGO, José. *A caverna*. São Paulo: Companhia das Letras, 2005, p. 187.

SATAN, Nicholas D. *Diário do Diabo.* São Paulo: Geração editorial, 2009.

SILVA, Julia; PIVA, Camila. *Quero ser uma youtuber: Acompanhe o Diário da Mila!* Jandira, SP: Ciranda Cultural.

TATTO, Bibi. *Isolados: O enigma*. Ribeirão Preto: Novo Conceito Editora, 2017.

TATTO, Bibi. *Um novo mundo.* Ribeirão Preto: Novo Conceito Editora, 2016.

TZU, Sun. *A Arte da Guerra: Os treze capítulos originais.* São Paulo: Jardim dos Livros, 2011.

UNIFEBE. *ABNT:* Como fazer referências de livros e *sites*. Disponível em: <https://www.unifebe.edu.br/site/blog/anbt-como-fazer-referencias-de-livros-e-sites/>. Acesso em: 04 jul. 2023.

VIEIRA JUNIOR, Itamar. *Torto arado*. São Paulo: Todavia, 2019.

VOGLER, Christopher. *A Jornada do Escritor*: Estrutura Mítica para Escritores. Tradução de Petê Rissati. 3. ed. São Paulo: Aleph, 2015, p. 46.